북창 정렴을 담은 신이(神異)한 옛 이야기들

- 신선이 되어 인간을 돌보다

북창 정렴을 담은 신이(神異)한 옛 이야기들
  – 신선이 되어 인간을 돌보다

발 행 | 2024년 01월 02일
편역자 | 변원무, 이양훈
펴낸이 | 한건희
펴낸곳 | 주식회사 부크크
출판사등록 | 2014.07.15.(제2014-16호)
주 소 | 서울특별시 금천구 가산디지털1로 119 SK트윈타워 A동 305호
전 화 | 1670-8316
이메일 | info@bookk.co.kr
ISBN | 979-11-410-6330-6
www.bookk.co.kr

북창 정렴을 담은 신이(神異)한 옛 이야기들

– 신선이 되어 인간을 돌보다

변원무·이양훈 엮고 옮김

책머리에

이 책은 북창이 세상을 떠난 후, 북창에 대한 이야기다. 필자들의 전작인 『인간의 길을 걸어 신선이 되다』가 북창 생전, 북창이 남긴 글로 이루어진 북창의 육성(肉聲)이었다면 이 책에 실린 글들은 이미 신선이 된 북창을 바라보는 옛 사람들의 시선이 투사된 옛날 이야기들이다. 우리가 흔히 설화, 전설, 민담이라 부르는 그런 옛날 이야기.

실존했던 한 인물에 대한 이야기는, 그의 선악과 관계없이 역사적 사실에 기초해서 서술되기 마련이다. 그런 기록들이 늘 그렇듯, 시간이 지나가고 세월의 이끼가 자라면서 역사적 사실과 다른 오류가 생기기도 하고 살이 덧붙여지기도 한다. 비교적 객관적이라고 부를 수 있는 역사적 사실의 전승과 결이 다른 이야기들. 이런 이야기들은 또 다른 이야기를 낳고 다른 이야기와 뒤섞이기도 하고 어우러지기도 하면서 오늘날 우리가 생각하는 북창의 모습이 나타나게 된다.

필자들은『인간의 길을 걸어 신선이 되다 −북창의 생애와 글 그리고 용호비결』에서 북창이 남긴 한시, 조선왕조실록과 당시 문인들이 남긴 문집의 기록 등을 통해 북창의 생애를 객관적으로 조명한 바 있다. 아울러 정북창방, 북창비결, 용호비결까지 북창이 생전에 남긴 글들을 모두 수록하여 북창 정렴의 총체적인 모습을 찾아보고자 했다.

이때 북창 정렴을 소재로 한 다양한 옛날 이야기들은 의도적으로 배제해야만 했다. 객관적인 사실과 동떨어졌기 때문이었다. 그러면서도 재미나고 흥미진진한 북창을 담은 기이한 옛 이야기들을 묻어두는 것이 아쉬웠다. 북창을 소재로 한 다양한 이야기들이 만들어지고 전승된 바탕에는, 선한 세상을 원하는 우리 민중들의 뜨거운 열의와 따스한 욕망이 자리하고 있기 때문이었다.

삶을 살아가며 부딪쳐야 하는 절대적인 절망 앞에서 홀연히 나타나, 그 상황을 이겨내도록 도와주는 정의롭고 선한 인물에 대한 갈망. 그 인물이 부귀영화를 누렸던 인물이 아니라, 우리네들처럼 아파하고 슬퍼하며 극복하지 못했던 운명을 짊어졌던 사람이라면 더욱 그를 그리워하게 된다. 북창 사후, 신선이 된 북창을 우리와 같은 민중들은 어떻게 받아들였을까? 그 옛 이야기들에서 또 북창은 어떤 신이한 능력들을 발휘했을까? 신선이 되어 가엾은 민중들의 마음을 위로한 북창의 가슴 따뜻한 모습을 지금부터 살펴보기로 한다.

이 책의 구성은 크게 세 부분으로 나뉘지며 모두 24편의 이야기들이 수록되어 있다. 제1장은 3편의 글로, 북창이 세상을 떠난 후 비교적 이른 시기에 북창의 생애를 다룬 세 사람의 글이다. 성수익과 송기수의 〈북창선생행실

〉 또는 〈북창선생행장〉이라는 제목을 가진 글 2편, 미수 허목의 〈북창선생전〉 1편이다. 제2장에는 우리가 옛날 이야기라 부르는 것들로 각종 야담집에 실린 북창의 신이한 이야기 13편, 구전되어 전하는 북창의 이야기 3편 등 모두 16편이 수록되어 있다. 제3장에는 옛 선비들이 바라본 북창의 모습으로 5편의 글이 수록되어 있다. 장유, 윤신지, 권극중, 이경석, 오숙 등이 지은 5편의 글은, 『북창고옥양선생시집』의 서문과 발문으로 편입된 글들이며 북창을 바라보는 옛 선비들의 시선이 고스란히 드러나 있다.

전작인 『인간의 길을 걸어 신선이 되다 −북창의 생애와 글 그리고 용호비결』과 이 책 『북창 정렴을 담은 신이한 옛 이야기들 −신선이 되어 인간을 돌보다』를 통해 필자들은 북창에 대해 가능한 모든 기록들을 다루고자 애썼고 이제 그 결실을 맺게 됐다. "북창이 어떤 사람입니까?"라고 물었을 때, 필자들이 세상에 내놓은 이 책들이 도움이 되기를 바라며 북창과 함께했던 시간들이 필자들에게 즐거움이었듯 독자들께서도 그러했으면 하는 바람을 가져본다.

　그동안 필자들을 돌봐주신 모든 분들께 감사드린다. 특히 묵묵히 지켜봐주고 응원해준 우리들의 가족이 없었다면, 여기까지 올 수 없었다. 지나간 세월만큼 주름이 느신 부모님들을 뵙노라면 참 가슴이 아리다. 아무쪼록 우리들이 생(生)이라는 시간속을 살아가는 동안에는 부디 건강하게 오래도록 함께하시길 소망한다.

2023년 12월
변원무, 이양훈

차례

일러두기

1. 이 책에는 한문 원문을 따로 수록하지 않았다.

2. 한문 원문의 출전은 각 이야기의 하단에 '해설' 항목을 추가하여 구체적으로 밝혀 놓았으며 인용한 한글 번역문의 출처 역시 적어두었다.

3. 개별 야담집의 한문 원문은 정환국 외 편, 『정본 한국야담전집. 1-10』에 실린 원문을 토대로 우리말로 옮겼다.

4. 위 전집에 실리지 않은 야담집의 한문 원문은 필자들이 찾아낸 야담집에 기초했다.

5. 구비 설화는 한국구비문학대계 사이트(gubi.aks.ac.kr/web)의 검색 결과에서 스크립터를 가져왔다.

6. 제3장에 실린 5편의 글은, 『북창고옥양선생시집』의 서문에서 가져오지 않고 개인 문집에 실린 글을 토대로 우리말로 옮겼다.

*본서의 글꼴은 문화체육관광부 안심글꼴 224종을 활용하였다.

제1장

북창은 어떤 사람인가

1. 북창 선생의 생애

공(정렴)의 본관은 온양(溫陽, 오늘날의 아산시)의 정(鄭)씨로부터 나왔다. 렴(礦)은 공의 이름이고 사결(土潔)은 공의 자(字, 이름 대신 부르는 호칭)다. 의정부 우의정 정순붕(鄭順朋)의 첫째 아들이다.

시조의 이름은 보천(普天)으로 고려에서 호부상서를 지냈으며 시호(諡號, 사후 임금이 붙여주던 이름)는 정희(貞僖)다. 고조의 이름은 포(袍)로 고성군사를 지냈다. 증조의 이름은 충기(忠基)이며 사헌부 지평을 지냈다. 할아버지의 이름은 탁(鐸)이며 사간원 헌납을 지냈다. 대대로 어진 덕을 쌓아 공의 대에 이르러 발현되었다. 공의 어머니는 양녕대군의 후손으로 봉양부정(鳳陽副正) 이

종남(李終南)의 딸이다.

정덕 병인년(1506) 3월 초 10일 갑신일에 공은 태어났다. 성품이 활달했고 재주와 도량이 있었다. 문예를 일찍 이루던 중 가정 정유년(1537) 사마시(생원진사시, 소과로 불리며 합격자는 성균관에 입학하여 대과에 응시할 수 있다)에 합격했다. 큰 뜻을 품고 과거 공부에 신경 쓰지 않다가 조정의 천거로 장악원(掌樂院, 궁중 음악을 담당하던 관청) 주부(主簿, 실무담당 종6품)에 임명됐다. 본래부터 음률에 밝았으며 특히 거문고에 더욱 뛰어났다. 이 관직을 맡음에 이르러서는 가곡장단을 몸소 가르치고 지도하였다.

작은 관직이라 하찮게 여기지 않았으니 유하혜(柳下惠, 춘추 시대 노나라의 현인)에 견줄 수 있겠다. 조정에서는 또 공이 천문과 의학에 뛰어남을 알고 관상감(觀象監, 천문(天文)·지리(地理)·역수(曆數)·점산(占算)·측후(測候)·각루(刻漏) 등에 관한 일을 담당했던 관청)과 혜민서(惠民署, 백성들을 치료해주던 의료기관)의 교수직도 겸하도록 하였다. 갑자기 포천 현감으로 나가서는 관청의 문을 닫고 한가로이 누울 정도로 백성들을 편안히 농사짓게 했다.

임기가 만료되기 전에 그만두고 돌아와 양주의 괘라리, 광주의 청계사, 과천의 관악사 등에서 병을 다스렸다. 약초를 캐고 노을을 먹으며 물외(物外, 세속을 벗어난 세상)를 한가로이 거닐며 인간 세상에 뜻이 없었다. 가정 기유년(1549) 7월 16일 세상을 떠나니 향년 44세였다. 양주 사정산의 선영에 안치되었다. 공의 아내는 진주의 훌륭한 집안인 생원 유인걸(柳仁傑)의 딸이다. 남자 아이로는 지복(之復)과 지임(之臨)이 있고 딸은 사대부 김윤신(金潤身)의 처가 되었다.

공의 성품은 산뜻하고 허화로우며 높고 밝았으며 최상의 총명한 자질을 지녔다. 유가·도가·석가의 세 가르침에 통달하지 않음이 없었으며 천문, 지리, 의약, 점 치는 법, 음악, 중국어에 이르기까지 모두 배우지 않고도 능통했다. 그 지극함을 논하자면 숫자에 있어서는 소강절(邵

康節, 중국 북송의 유학자 소옹)과 같았고 의학에 있어서는 유부(俞跗, 중국의 명의)나 편작(扁鵲, 중국의 명의)과 같았다. 고질병에 걸린 사람들 가운데 공으로 인해 살아난 자들도 매우 많았다. 늘 말씀하셨다.

"의술이라고 하는 것은 논의하는 것이다. 마땅히 음양과 차가움과 뜨거움을 살펴서 증상에 맞게 약을 써야 거의 완벽하다 할 것이다. 세상에 의술을 행하는 사람들은 낡은 책에 집착하고 하나의 방편만을 고집하여 변통을 알지 못하여 증상에 거슬러 약을 쓰니 어찌 효험을 보겠는가."

공은 본래 핏기가 없고 몸이 야위고 마르는 청리증(淸贏症)을 앓고 있었기에 항상 스스로 그 병을 살펴 사내종에게 아침 저녁으로 약을 달리 조제하도록 했다. 아침에는 반드시 입을 닫고 바르게 앉아 약을 마실 때까지 기다렸으며 해가 뜨면 비로소 입을 열어 기를 내보냈다. 밤 또한 오뚝하니 단정하게 앉아 새벽이 될 때까지 잠들지 않았다. 비단 수련에만 부지런했던 것이 아니라, 마음씀을 높고 밝게 하고 의리를 탐색함에 있어서도 참으로 지극했다. 공의 모습은 구름 속 학, 바람 속 매미와 같았다. 또한 사람들과 담론을 잘하였으며 어진 사람이나 못난 사람이나 모두 공의 덕에 탄복하고 공의 기질을 좋아했다.

일찍이 아버지 의정공(정순붕)을 따라 중국을 관광한 적이 있었다. 한 중국 유생이 공이 시를 잘 짓는다는 말을 듣고 와서 희롱하며 "공과 더불어 시를 짓고 싶은데 괜찮겠습니까?" 하고는 먼저 읊었다. "동쪽 나라의 참된 남자로다"하니 공은 즉시 응대하여 "중국의 아름다운 장부로다"라고 하였다. 그 유생은 바로 얼굴색이 흙빛이 되더니 감히 다시 말하지 못하였다.

또 봉천정 뜰에서 도사를 만났다. 도사가 말했다.

"당신네 나라에도 나와 같은 무리가 있소이까?"

공은 즉시 대답하였다.

"우리나라는 본래 신선굴이라고 불리웠소이다. 봉래산, 방장산, 영주산(신선들이 산다는 전설의 산들)이 모두 우리나라에 있고 어떤 이는 한낮에도 하늘로 오르고 어떤 이는 장생하여 죽지 않으니 우리들은 흔히 보는 일인데 어찌 귀하겠소이까."

도사가 놀라며 말했다.

"어떻게 그럴 수 있소이까?"

공은 즉시 『황정경』, 『참동계』, 『음부경』 등의 도교 경전을 들며 기를 쌓고 형을 단련하는 단계를 짚어냈다. 처음과 끝이 촛불을 밝히고 거북점을 친 것처럼 환하고 정확하여 어려움이 없었다. 도사는 부끄러워하며 물러나서는 다시 따지지 못했다. 공은 이런 말을 한 적이 있었다.

북경에 갔을 때, 한 사람이 내가 추수법(推數法, 미래를 예측하는 법)을 안다는 얘기를 듣고 오행과의 관계를 묻고자 찾아온 사람이 있었다. 곁에 일꾼이 있었는데 눈을 똑바로 뜨고 열심히 바라보는데 마치 뭔가를 아는 듯했다. 내가 "당신도 이것을 아오?"라고 물으니 "대충 이해는 합니다"라고 대답하기에 그와 함께 어려운 부분을 논의해보니 추수(推數)에 정밀하게 아는 자였다.

　이런 이유로 그가 기이한 사람임을 알게 되어 그와 함께 천문 보는 법을 말해보니 일월성신의 운행에 해박했고 고금의 역사를 논해보니 치란과 흥망의 자취에도 환하게 밝았다. 말하는 것마다 모두 통하여 조금의 막힘도 없었다. 내가 물었다.

　"그대가 아는 바가 이미 이와 같은데 어찌하여 이

곳 사신들이 머무르는 숙소에서 나무나 하고 방을
뎁히는 일로 먹고 사시오?"

"저는 본디 촉땅 사람으로 하늘로부터 받은 운명이
기구하고 박하여 이와 같이 하지 않았다면 이미 죽
었을 것입니다. 어느 해가 되면 당연히 어느 곳으로
갈 것입니다."

그리고는 기이한 많은 책을 나와 바꾸었다. 내가
우리나라로 돌아온 후, 매번 북경으로 가는 사신 편
에 편지를 주고받다가 어느 해가 되자 과연 어느 곳
으로 옮겨갔다고 했다.

공이 어진 이를 좋아하고 선한 일을 즐김에 힘썼으니 잊지 않음이 이와 같았다. 공은 말씀하셨다.

"성인의 수많은 책들은 모두 배우는 사람들이 일로 삼아야 할 것들이다.『성리대전(性理大全)』(송나라 성리학자들의 글을 모은 책)에 실린 태극도와 같은 편은 먼저 읽지 않으면 안 된다."

공이 후학들을 가르쳐 성인이 되는 지름길을 만듦이 이와 같았다. 공은 또 말씀하셨다.

"오래 산사에 머물며 인사를 접하지 않았더니 마음이 고요해지고 몸이 편안해져 아득히 산 아래의 세상 살이를 알게 되었다. 불가에서 타심통(他心通, 다른 사람의 마음을 읽는 술법)이라고 이르는 말은 헛된 것이 아니다."

공이 깨달음을 이룬 내공 또한 이와 같았다. 공의 성품은 육식을 좋아하지 않았고 술을 즐겼으며 비록 세 말의 술을 비우더라도 사양하지 않았다. 말년에 이르러서는 한 잔의 술도 기울이지 않았으니 병에 조심함이 또한 이와 같았다.

스스로 붙인 북창이라는 호는 복희(伏羲, 중국 고대 전설상의 제왕) 이전 사람이라는 뜻을 취한 것이다. 공이 하늘로부터 받은 품성은 이미 남달랐으니 본 바탕을 채우고 길러 만약 조정에 나아가 포부를 펼쳤더라면 마땅히 옛사람들에게 부끄럽지 않았을 것이다. 이미 그 자리를 얻지 못했고 또 그 수명을 얻지 못했으니 아, 하늘이여!

해설

이 글은 칠봉(七峯) 성수익(成壽益, 1528~1598)이 편찬한 『삼현주옥(三賢珠玉)』에 〈북창선생행실〉이라는 제목으로 실려 있다. 성수익(成壽益)의 본관은 창녕(昌寧). 자는 덕구(德久), 호는 칠봉(七峯)이다. 『삼현주옥』은 '세 현인의 주옥 같은 글'이라는 의미로, 세 현인은 북창 정렴, 규암(圭菴) 송인수(宋麟壽, 1499~1547), 동주(東洲) 성제원(成悌元, 1506~1559)을 말한다.

이 글의 한문 원문은, 앞선 『삼현주옥』과 성수익의 문집인 『칠봉집』, 조선시대 유명인들의 행적을 엮은 『국조인물고(國朝人物考)』, 『북창고옥양선생시집』 등에 실려 전한다. 여기서는 세종대왕기념사업회에서 번역한 『국조인물고』의 글을 일부 수정하여 수록하였다.

성수익의 이 글은, 북창 정렴이 세상을 떠난 후 북창의 생애에 가장 근접해 있고 자세한 글로 후대 정렴이라는 인물을 소개하는 다른 많은 글들의 원천이 된 글이다. 방대한 학문들을 배우지 않고도 알았다라는 믿을 수 없는 찬사부터, 정렴이 앓고 있었던 청리증, 정렴이 낮과 밤으로 양생 수련하는 모습, 중국을 다녀오면서 남긴 세 가지 일화들을 포함하여 정렴이 직접 말한 생생한 육성까지 모두 담겨 있다. 성수익의 이 글이 없었더라면 오늘날 우리는 북창의 참 모습을 찾는데 좀더 어려웠을 것이다.

참고로 중국 유생과의 시 대결에는 다음과 같은 사연이 있다. 청리증으로 인해 하얀 피부와 마른 체형을 가진 정렴의 모습이 여성스럽게 보였기 때문에 중국 유생이 이를 희롱하여 동쪽 나라의 참된 남자라고 하자, 정렴은 그가 도리어 아름다운 여자와 같다며 되받아친 것이다.

2. 북창 선생의 행적

　공의 타고난 성품은 매우 맑고 높았으며 총명함이 남들 보다 뛰어났다. 책을 한두 번 보면 모두 암송하였다. 천문, 지리, 의약, 복서(卜筮, 길흉을 점치는 일), 역산(曆算), 음률 등의 분야도 이해하지 못함이 없었다. 또한 스스로 중국어를 익혀 경험 많은 늙은 통역관이나 다름없었다.

　신선과 관련된 방술(方術, 단학 수련)과 불경에 이르러서도 환하게 깨달았으며 선학(禪學, 불교의 마음 공부)을 지름길로 삼아 세속을 벗어난 진화공부(進火工夫, 양기를 나아가게 하는 단의 수련)를 낱낱이 시험하지 않음이 없었다. 더욱 귀감이 되는 것은, 아는 것이 이미 넓은

데도 오로지 성인의 학문인 유학을 마음 세우는 근본으로 삼아 정해진 과정을 거치지 않고도 스스로 고명한 경지에 이른 것이다. 항상 말씀하셨다.

　"성인의 학문은 인륜을 중히 여기기에 마음의 오묘한 부분은 말하지 않았다. 신선의 학문과 불교의 학문은 오로지 마음을 거두고 본성을 보는 것을 근본으로 삼는다. 그러므로 깨달음을 위한 부분이 많고 일상생활 영역은 모두 빠져 있다. 이것이 세 가르침의 다른 점이며 신선의 학문과 불교의 학문은 대개는 같고 조금 다를 뿐이다."

　하루는 불가의 심통 공부(心通工夫, 마음으로 모든 것을 꿰뚫어 보는 공부)를 시험하기 위해 용인 산중에 있는 절에 여러 날 머물렀다. 산 아래 100리 내에 있는 마을에서 이루어진 음식, 일상생활, 주고받은 말 등을 모두 직접 본 것처럼 알았다. 나중에 이를 시험해보니 모두 헛된 말이 아니었다. 하지만 이를 다른 사람들에게 말하지 말라고 하였다.

  을사사화(1545) 초기에 힘써 그 아버지에게 간하여 아
버지가 거의 미혹에서 벗어남에 이르렀으나 여럿을 하나
가 감당할 수 없어 끝내 뜻을 이루지는 못했다. 공의 간
절한 호소가 지극한 경지에 이르자, 아버지 또한 공의 정
성으로 인하여 크게 뉘우쳐 공에게 붓을 잡도록 하여 사
화에 얽힌 자들의 구원을 청하는 문장을 짓도록 하였으
나 이미 어쩔 수 없었다. 공이 쓴 글은 임금에게까지 이
르렀다.

  그 못난 아우(정현)가 공을 참혹한 지경에 이르도록
거짓 사실을 꾸며내자 공은 어지러움을 피해 몸을 감추
었다. 사람들이 공이 간 곳을 알지 못했는데 수 년이 지
나 공이 세상으로 나왔는데 사람들이 공을 알아보지 못
하기도 했다. 더위에 지친 몰골로 정신이 흐리기에 다 기
록할 수 없다.

해설

이 글은 추파(楸坡) 송기수(宋麒壽, 1507~1581)가 지은 글로, 성수익(成壽益, 1528~1598)이 편찬한『삼현주옥(三賢珠玉)』에 〈북창선생행실〉이라는 제목으로 실려 있다. 송기수의 본관은 은진(恩津), 자는 태수(台叟), 호는 추파(秋坡)·눌옹(訥翁) 등을 썼다.

송기수와 북창은 참으로 사연 많은 사이다. 그 사연은 대체 무엇일까? 사실 이 글에서도 그 애증의 사연에 대한 단서가 들어 있다. 바로 북창의 아우 정현이다. 송기수는 북창에게는 한없는 애정을 드러내지만, 북창의 동생 정현에게는 서슬 퍼런 증오를 숨기지 않는다. 왜 그렇게 된 것일까?

송기수의 사촌 형은 송인수다. 바로『삼현주옥』에 북창과 함께 수록된 그 사람이다. 송인수는 북창의 아버지인 정순붕, 동생인 정현이 적극적으로 가담한 을사사화

(1545)로 인해 파직되었다가 청주로 낙향 은거했다가 사약을 받고 생을 달리한다. 사촌 형의 죽음에 책임이 있는 자들 가운데 하나가 북창의 동생 정현이었다. 그런 그가 북창을 위해 〈북창선생행실〉을 지었으니 참 기이한 운명이다.

그런데 여기 또 하나의 반전이 있다. 송기수 그 역시 을사사화에 적극적으로 가담해서 3등 공신으로 공적을 인정받았다는 사실이다.

사화가 일어나기 직전에 어떤 사람이 사림(士林)을 일망타진할 계획을 송기수에게 말하면서 "규암(송인수)이 화를 면하지 못할 것인데, 어떻게 하겠는가" 하니 "동산에 가시덤불이 무성한데, 그 가운데 한송이 매화가 있다면 어찌 매화가 상한다고 가시덤불을 없애지 않겠는가"라고 하였다. 결국 송인수가 처형되자, 사람들로부터 형을 모함한 공신으로 지목받았다.

부귀와 권세를 향한 인간의 욕심이었을까? 아니면 지

금의 우리네들 정치인들이 보여주는 저 섬세하고 정밀한 국가 통치 행위인 정치의 속성이었을까? 정신이 흐리기에 다 기록할 수 없다는 송기수의 말은, 참으로 많은 것을 생각하게 한다.

3. 북창선생전

북창선생은 성이 정(鄭)이고 이름은 렴(磏)이다. 자는 사결이며 북창은 별호다. 그 선조는 백제 탕정(湯井, 오늘날의 아산시) 사람으로 선조 중에 현달한 사람이 많았다. 우리 조선에 들어와서는 예종과 성종 연간에 교리(校理, 집현전과 홍문관 등에서 실무 담당)를 지낸 충기(忠基), 헌납(獻納, 임금에게 정치의 올바름을 간하는 직책)을 지낸 탁(鐸)이 있다. 이 두 세대에 연이어 높은 관직에 올랐다. 탁은 순붕을 낳았으며 순붕은 중종, 명종을 섬겨 가장 귀하게 등용되었으며 선생을 낳았다. 어머니는 우리 조선 태종의 장자인 양녕대군의 증손이다. 중종 원년(1506) 3월 갑신일에 선생이 태어났다.

아이때부터 마음을 집중하여 흩어지지 않게 하고 신과 통하는 능력이 있었다. 가까이는 마을과 집안의 작은 일부터 멀리는 오랑캐 땅의 풍습이나 기풍, 개 짖는 소리나 때까치 소리처럼 들리는 언어까지 귀신같이 알았다. 역법(曆法, 천체의 주기적 현상을 보고 때를 정하는 방법), 점치는 법, 의약, 음악, 산수 등은 모두 말해주지 않아도 깨우쳤다.

열네 살에 중국을 유람할 때, 유구국(流球國, 지금의 오키나와) 사람이 이상한 기운을 보고 선생께 이른 자가 있었다. 선생을 보자 두 번 절하고 말했다.

"제가 점을 친 적이 있었는데 점괘에서 '아무 년 아무 달 아무 날이 되어 중국으로 들어가면 진인을 만나리라'라고 하였는데 바로 선생님께서 그 진인이십니다."

이렇게 선생께 배움을 청하자, 중국에 왔던 이민족들이 이런 소문을 듣고 모두 앞다투어 선생을 뵈러 왔다. 선생께서는 이들을 이민족 언어로 응대하니 크게 놀라

선생을 경이롭게 대하며 하늘이 내린 사람이라고 하였다.

명(命)을 묻는 손님이 있었는데, 정렴이 머무르던 여관에서 일하는 사람 가운데 땔나무를 마련하기 위해 고용된 사람이 전부터 가만히 지켜보며 할 말이 있는 듯했다. 선생이 말했다.

"너는 무슨 할 말이 있느냐?"

"그렇습니다."

선생이 그와 함께 말해보니 그는 음양의 운세와 기이한 화복(禍福)의 술법에 통달해 있었다. 선생이 말했다.

"너는 어찌하여 품팔이를 하고 있느냐?"

"이렇게 하지 않았더라면 저는 참으로 이미 죽었을 것이옵니다."

그는 자신이 촉땅 사람이라 말했다. 선생은 그에게 아무 해가 되면 아무 곳으로 갈 것이라고 말했다. 선생이 이미 모든 것에 신통하여 무궁한 경지에 들어섰다. 『도덕경』에서 "문밖을 나가지 않고서 천하의 일을 안다"고 하였으니 바로 이를 말한 것이다.

선생은 타고난 본성이 술을 즐겨 여러 말을 마실 수 있었으며 취하지 않았다. 선생은 말씀하셨다.

"유학의 성인은 인륜을 중히 여기나 석가모니와 노자는 마음을 닦고 본성을 깨달으라고 말하면서 사람 사는 일에 대한 배움은 빠뜨렸다. 불교와 도교는 대체적으로 큰 줄기는 같고 작은 것이 다르다."

항상 탄식하면서 "말은 믿음을 받지 못하고 행동은 인정을 받지 못한다"고 말하면서 큰 소리로 노래를 부르며 스스로를 즐겼다. 규범에서 벗어난 자유로움에 즐거움을 맡겼지만, 스스로를 다른 사람들과 달리 여기지는 않았다. 사람들과 함께 있을 때는 하나라도 공자의 가르침에서 나오지 않는 말이 없었다. 대개 선생의 깨달음은 불가의 선(禪)에 속하고 그 생의 족적은 도가의 노자 부류에 속하지만 사람들을 가르침에는 한결같이 유가 성인을 으뜸으로 삼았다.

내가 선생의 일을 조사한 적이 있었는데 19세에 국자감시험(소과 진사시)에 합격하였으며 이후 다시 과거 시험을 치르지 않고 양주 괘라리에서 살았다. 중종 때 장악원 주부, 관상감과 혜민서의 교수직을 맡았고 이후 포천 현감이 되었다가 홀연히 관직을 버리고 깊은 산속에 들어가 자취를 끊었다. 침묵을 지키며 10년을 지내다 돌아가셨다. 때는 명종 4년(1549)으로 선생의 나이 43세였다. 선생은 스승도 없고 제자도 없었다. 양주 사정산에 선생의 무덤이 있다.

북창선생의 아우 작(碏)의 자는 군경(君敬), 또한 고옥(古玉)이다. 북창보다 27세 어렸으며 청정함을 좋아했다. 일찍이 금강산에 들어가 수련의 도를 얻었다. 중년이 되어 처를 잃자 다시 장가들지 않았으며 욕망을 끊고 36년을 보낸 후, 명을 마쳤다. 관상을 보는 법에 통달했으며 기이한 일들을 많이 했고 초서와 예서에도 뛰어났다. 시를 읊는 것을 즐겨하여 세상에 이름이 났다. 뛰어난 오성(悟性)으로 사람들의 화복을 알았는데 어긋남이 없었다.

찬(讚, 공덕을 칭송하는 글)을 짓는다.

세상에 전하기로는 선생은 대낮에 그림자가 없었다고 한다. 내가 듣기로는 병길(丙吉)이 '지인(至人, 도통한 사람)은 그림자가 없다'라고 하였다는데 선생이 그 지인이신가. 혹자는 선생이 태어나면서부터 말을 했다고도 하는데, 상고시대에 태어나면서 신령하여 스스로 자신의 이름을 말했다고 하는 사람이 있었다는데 선생이 그러하신가. 참으로 기이하다. 아우 고옥 역시 세속을 초월하여 일반인의 범주를 뛰어넘었다고 하겠다.

해설

이 글은 미수(眉叟) 허목이 지은 『북창선생전』이다. 허목의 본관은 양천(陽川), 자는 문보(文甫)·화보(和甫), 호는 미수(眉叟)다. 보물 제1509호인 그의 초상화와 동방 제1인자라는 전서(篆書)로 유명하다. 『북창선생전』은 북창 선생의 일대기를 기록한 전기로, 목판본(나무에 글을 새겨 인쇄하도록 만든 판본)이며 국립중앙도서관에서 소장하고 있다.

필자들의 전작인 『인간의 길을 걸어 신선이 되다 ─ 북창 정렴의 생애 글 그리고 용호비결』의 표지를 이 〈북창선생전〉의 이미지로 채운 것도 그의 독특한 서체가 질박한 순수함을 추구했던 북창의 삶과 어울렸기 때문이다.

미수 허목은 유학자이면서도 도가적인 성향을 드러냈던 인물이다. 그래서였을까, 그는 세속에서 벗어난 생을 살다간 방외인들의 삶에 관심이 많았다. 그의 문집인

『기언(記言)』 권11에는 청사열전(淸士列傳)이라는 편이 있고 그곳에 김시습(金時習, 1435~1493), 정희량(鄭希良, 1469~1502), 북창 정렴과 아우 고옥 정작(鄭碏, 1533~1603)의 전이 실려 있다. 『북창선생전』은 북창 정렴의 일생과 행적만을 따라 떼어내어 목판에 새겨 독립된 책으로 엮은 것으로, 그가 북창에 보인 관심이 지대했음을 알 수 있다.

사실 그는 이 『북창선생전』을 짓기 전에 초고에 해당하는 〈북창선생의 유훈을 읽고(讀鄭北窓遺訓)〉라는 글을 먼저 지었다. 전체 내용은 아래와 같다.

〈북창선생의 유훈을 읽고(讀鄭北窓遺訓)〉

나는 공의 학문이 무궁한 경지에 들어 만물과 신(神)이 통한다고 들었다. 공의 배움에는 스승도 없었는데 고요하고 현묘한 경지에 이르렀으니 이는 어떤 가르침 없이 저절로 그렇게 된 것인가. 옛날에 태어나면서부터 신령한 사람이 있다더니 선생이 그러하신가. 야사(野史, 민간에 전해지는 기록들)에 실린 이야기들로는 더욱 그 연유를 알 수 없다. 혹 노자(老子)가 말한 "문밖을 나서지 않아도 천하의 일을 안다"는 것인가. 내가 듣기로는 선생은 대낮에도 그림자가 없었다는데 병길이 "지인(至人)은 그림자가 없다"라 하였으니, 선생 또한 지인이신가.

자손들에게 남긴 유훈을 보니 한결같이 성인을 스승으로 삼았으며 배움을 따르는 핵심과 삼가고 경계하는 방법이 모두 군자의 길에서 벗어나지 않았다. 이를 읽은 연후에 나는 더욱 선생의 마음을 사모하게 되었고 그의 삶을 슬퍼하게 되었다.

아! 세상이 어긋나 내 마음과 다르니, '세상이 이미 나를 알아주지 않는다' 여기며 도를 품고 세상을 피했으니 선생은 외물(外物)에 시험해보고자 하신 것인가. 나는 선생에 대해, 몸가짐은 청사(淸士, 고결한 선비)에 알맞았고 벼슬을 버림은 권도(權道, 상황에 따른 처신)에 알맞

앗다고 말할 것이니, 옛날에 이른바 일민(逸民, 세상에 나가지 않고 은거하며 사는 현인)이 아니신가.

윗 글을 보면, 허목이 북창 선생에 대해 이런 저런 이야기들을 듣고 기이하게 여기고 있다가 유훈을 읽어 보고는 더욱 사모하고 애틋하게 여기게 되었음을 알 수 있다. 아울러 이 글이 『북창선생전』의 초고에 해당함도 쉽게 유추할 수 있다.

허목이 남긴 이 글들은 전체적인 내용에 있어 성수익의 〈북창선생행실〉에 비해 소략하고 고증에 있어서도 조금씩 어긋난 부분이 있지만, 후대로 전승되며 북창의 신이한 능력을 더욱 확대 재생산 하는 역할을 하게 된다. 특히 그림자가 없다는 부분이 그러하다.

참고로 〈북창선생유훈〉은 다음과 같다.

<북창선생유훈>

부모님을 섬길 때는 효성과 공손을 근본으로 삼고, 처와 자식을 대할 때는 부드러움과 온화함으로 먼저 하거라.

집안 살림은 근검절약을 핵심으로 삼고, 세상 살이는 청렴과 물러남에 힘써야 한다.

높은 관직에 오르지 말고 낮은 곳에 있을 것이며 고귀한 집안과 혼인관계를 맺지 말거라.

세상의 때가 순조롭거든 벼슬살이를 하고 세상이 어지러우면 전원으로 물러나 살면서 힘써 경작하며 자급자족 하거라.

모든 제사는 한결같이 『주문공가례』에 따라 행하되 내려오는 풍속을 참고하여 인정과 일치하도록 힘쓰거라.

자손 가운데 감히 무뢰배들과 사귀고 제멋대로 음란하고 정도를 넘으며 패륜을 일삼고 덕을 저버림에 거리낌이 없는 자는 전답과 노비를 모두 주지 말거라. 혹 적자(嫡子, 정부인이 낳은 자식)로 장자인 자손이 이렇다면 반을 감해서 주도록 해라.

아, 성인의 위대한 말씀이 책에 잘 기록되어 있으니 내 말이 무슨 도움이 되겠느냐. 『근사록』과 『소학』은 처음 배움에 드는 자들의 지름길과 같은데 세상 사람들은 보지 않는구나.

　내 말이 비록 늙은이의 말이라 심상히 여기지 말고 자손대대로 서로 지켜 가슴속에 두고 잃지 말거라.

제2장

북창을 담은 신이한 옛 이야기들
─신선이 되어 인간을 돌보다

1. 선도(仙道)에 통달한 정렴과 정작

내가 참판 성수익(成壽益)이 지은 『삼현주옥(三賢珠玉)』을 살펴보니, 북창 정렴 선생은 세상사 물욕을 벗어난 신인(神人)이었다. 유가, 도가, 불가 및 기예와 잡술 등 모든 것을 배우지 않고도 능통했다. 일찍이 다른 사람의 마음에 통하는 석가의 법에 대해 문호를 터득하지 못한 것을 한스럽게 여기더니, 산에 들어가 정관(靜觀, 고요히 관조함)한 지 3·4일 만에 문득 환히 돈오(頓悟, 갑자기 깨달음)하였다. 산 아래 백 리 밖의 일도 능히 알아냈는데 부절(符節, 두 개로 나눠진 증표)을 합한 것처럼 꼭 들어맞아 백의 하나도 어긋남이 없었다.

정렴은 부친을 따라 중국에 가서 유구국(流球國) 사신을 만났는데, 그 또한 이인(異人)이었다. 유구국 사신은 자기 나라에 있을 때 『주역』의 이치를 추산해, 중원에 들어가면 진인(眞人)을 만나리라는 것을 미리 알고 지나는 길마다 묻고 살펴보면서 북경에 이르렀다. 여러 나라 사신들의 관사를 두루 방문했으나 어디에서도 진인을 만나지 못했다. 그러다 북창을 한번 만나 보고는 깜짝 놀라고 두려워하였다. 자신도 모르게 내려서서 절을 올리고 전대를 열어 작은 책자 하나를 꺼냈는데, 거기에는 실제로 '모년 모월 모일에 중국에 들어가 진인을 만난다'라고 기록되어 있었다. 그는 북창에게 그것을 보여주면서 말했다.

"이른바 진인이 공이 아니라면 누구겠습니까?"

그 사람이 역학(易學, 주역)에 정통했으므로 북창은 크게 기뻐하며 사흘 밤낮을 함께 거처하면서 『주역』에 대해 논했다. 북창이 유구국 말에 능통해서 통역하는 사람을 기다리지 않아도 되었다. 대개 배우지 않고도 능통할 수 있었기 때문이다.

정렴은 늘 한 방에 거처하면서 단약(丹藥)을 만드는 데 공력을 들이고 있었다. 한 손님이 찾아왔는데, 한미한 선비로 바야흐로 한참 추운 겨울이어서 매서운 추위를 견뎌 내지 못했다. 북창은 자리 곁에 있는 차가운 쇳조각을 집어 자기 겨드랑이에 끼워 따뜻하게 하더니 잠시 뒤 꺼내 손님에게 주었는데, 마치 화로불처럼 따뜻해 땀이 흘러 온몸을 적셨다. 또 어떤 사람이 고질병을 앓아 여러 달 침과 약을 썼으나 나아지지 않았다. 북창이 자리 위에 있는 한 움큼의 관초(菅草, 삿갓이나 도롱이를 만드는 풀)를 손으로 비비고 입으로 불어 따뜻하게 한 뒤 그 환자에게 복용하도록 하니 병이 곧 나았다.

불행히도 일찍 죽어 향년이 44세였다. 그가 스스로 지은 만가(輓歌, 죽은 사람을 애도하는 시)는 다음과 같다.

한평생 만 권의 책을 독파하고

하루에 천 잔의 술을 마셨네

복희씨(伏羲氏) 이전의 일(순수하고 속되지 않았던

　　고대의 일)을 고상하게 말하고

속된 이야기는 종래로 입에 올리지 않았네

안회(顔回, 공자의 제자)는 나이 서른에 아성(亞聖,

　　성인인 공자에 버금감)이라 칭송되었는데

선생(자신을 지칭함)의 수명은 어찌 그리 긴가?

그의 아우 정작(鄭碏) 또한 기이한 선비였는데, 그 형을
위해 지은 만가는 다음과 같다.

내 형의 죽음을 통곡하며

상심한 마음으로 하늘에 묻고자 한다

학문을 닦아 아성(亞聖)을 잇고

세상사를 싫어하여 태선(胎仙, 학의 별칭. 고대에 학은

신선이 타고 다니는 새로서, 난생이 아닌 태생으로
알려진 데서 온 이름이다)으로 화하였구나
삼생(三生)의 이치에 관한 말은 적막하고
만 권의 책은 바람결에 날아갔네
천지에 우뚝한 선각자여
대몽(大夢, 긴 꿈. 전하여 덧없는 인생)이 홀연히 지나
감에 아득하구려

정작은 일찍 홀아비가 되어 40여 년을 홀로 거처했는
데 한번도 여색을 가까이하지 않았다. 선술(仙術, 신선
이 되는 술법)을 좋아하고 술을 즐겨 마셨으며, 시에 능
하였고 의술에도 밝아 신이한 효험이 많았다. 평생 벼슬
에 나아가기를 원하지 않았는데, 일찍이 이런 시를 지었
다.

하얗게 센 머리로 참동계(參同契, 도가의 경전)를 읽고
불그레한 얼굴로 술을 즐긴다.

이는 곧 그가 일생 동안 한 일이다. 나이 71세에 병도 없이 앉은 채로 죽었다.

북창 정렴은 고상한 선비로 정순붕의 아들인데, 음양을 비롯하여 의학과 여러 술법에 두루 정통했다. 능히 심신(心神)을 수양해, 거처하는 곳에는 환한 빛이 온 방안에 가득했다. 판서 홍성민(洪聖民)이 젊은 시절 그와 함께 술을 마신 적이 있는데, 당시 공장(工匠, 도예공)이 구워 만든 사기(沙器) 소주잔은 매우 작았다. 온 나라 안에서 이를 정식 규격으로 삼고 있었는데, 정렴이 이 술잔을 가리키며 말했다.

"지금은 술잔이 이처럼 조그마하지만 훗날 점점 커져서 큰 술잔이 될 것이다. 그때가 되면 세상일에 어려움이 많을 것인데, 나는 그것을 보지 못할 것이다. 자네는 응당 그 괴로움을 두루 맛보게 될 것이니 몹시 근심이 되는

구나.”

　오래지 않아 정렴이 일찍 세상을 떠났다. 그 후 온 세상에서 소주 마시는 것을 숭상하여 모두 큰 잔을 사용했으므로 도공들이 사기 술잔을 만들 때 다시는 작은 잔을 만들지 않았다. 임진란이 일어났을 때 홍성민은 관서(關西, 평안도)의 행재소(行在所, 임금이 궁을 떠나 멀리 나들이할 때 머무르던 곳)에 있었는데, 그는 항상 정렴의 선견지명을 칭송하였다.

해설

이 이야기는 유몽인(柳夢寅, 1559~1623)의 『어우야담(於于野談)』에 수록되어 전한다. 유몽인의 본관은 고흥(高興), 자는 응문(應文), 호는 어우당(於于堂)·간재(艮齋)·묵호자(默好子) 등을 썼다. 『어우야담』은 '어우당 유몽인이 지은 민간의 이야기들'이라는 뜻이다. 이 이야기의 한글 번역본은 신익철 외 옮김, 돌베개 2006, 174~178쪽에서 인용했다.

유몽인의 『어우야담』은 우리나라 야담문학의 시작을 알리는 작품으로 문학적 가치가 상당하다. 역사적 사실과 뜬 소문 같은 이야기들이 잘 어우러져 믿기도 안 믿기도 애매한 작품들이 많다. 이런 이야기들이 시간을 타고 흐르고 흘러 "옛날 옛날에 호랑이가 담배 피던 시절에"와 같은 옛날 이야기들이 되었다.

유몽인은 성수익이 편찬한 『삼현주옥』을 읽었다고 했

다. 그곳에서 유구국 사신과 북창의 만남을 가져와 소개했다. 이어지는 의술, 단학, 예언과 관련된 일화는 다른 경로를 통해 유몽인의 귀에 들렸을 것이다. 판서 홍성민과 같이 실존했던 인물의 구체적인 이름을 밝혀 독자들이 북창의 이야기를 사실로 받아드리도록 했다. 북창의 만시(輓詩)와 아우 정작의 시까지 소개하며 나름 정성을 들여 글을 지었음도 알 수 있다.

2. 음률에 정통한 정렴

북창 선생 정렴은 음률(音律)을 알았다. 끈으로 술병을 매달고 두 개의 구리 젓가락 중 하나는 술병 속에 꽂고 나머지 하나로는 술병을 두드리며 단아한 곡조를 만들었는데, 오음육률(五音六律, 오늘날의 음계와 장단조)에 맞지 않음이 없었다. 그의 부친 정순붕이 강원감사가 되어 금강산을 유람하다가 마하연 암자에 이르렀는데 정렴이 따라갔다. 정순붕이 정렴에게 말했다.

"사람들이 네가 휘파람을 잘 분다고 말하던데 나는 들어 본 적이 없구나. 이러한 절경에 이르렀으니 한 곡조 불어 볼 만하다."

정렴이 대답했다.

"오늘은 고을 사람들이 이곳에서 많이 기다리고 있으니, 내일 비로봉에 올라가 불도록 하겠습니다."

이튿날 정렴이 비를 무릅쓰고 일찍 나가자, 중이 만류하며 말했다.

"오늘은 비가 와서 비로봉에 올라갈 수 없습니다."

정렴이 말했다.

"저물녘이 되면 갤 것이오."

드디어 명아주 지팡이를 짚고 갔는데, 저녁 무렵이 되니 과연 날이 갰다. 정순붕도 뒤따라갔는데, 산골짜기 사이에서 피리 소리가 들리는데 맑고도 커서 바위 골짜기가가 모두 울렸다. 중이 놀라 말했다.

"산 깊고 외딴 곳에 웬 피리 소리인가? 소리가 맑고 웅장하니 필시 신선일 것입니다."

정순붕은 가만히 짐작하고 있었는데, 이르러 보니 과연 정렴의 휘파람 소이이지 피리 소리가 아니었다. 비록 손등(孫登)이 완적(阮籍)에게 들려준 소문산(蘇門山)의 휘파람 소리일지라도 이보다 더 뛰어날 수는 없었다.

정렴은 산사에 거처하면서 병풍을 여러 겹 쳐놓고, 세수하고 빗질하는 것도 폐한 채 지게문 밖을 엿보지도 않고 종일토록 묵묵히 무릎을 꿇고 앉아 있었다. 그때 절에 있는 한 중이 와서 문안을 드리자 정렴이 말했다.

"오늘 우리 집 종이 술병을 가지고 올 것이오."

조금 있다가 놀라며 말했다.

"애석하구려. 오늘은 마실 수가 없게 되었소."

잠시 후 종이 집에서 이르러 말했다.

"오늘 술병을 지고 오다가 고개에서 바위에 넘어져 깨뜨렸습니다."

해설

이 이야기 역시 유몽인의 『어우야담』에 수록되어 전한다. 이 이야기의 한글 번역본은 신익철 외 옮김, 돌베개 2006, 467~468쪽에서 인용했다.

북창은 휘파람으로는 조선 제일이라는 칭호를 받았다. 물론 그는 조선 제일의 단학가(丹學家, 단을 수련하는 사람)이기도 하다. 이런 평가는 조선 후기 실학자로 오늘날의 백과사전류에 해당하는 『오주연문장전산고(五洲衍文長箋散稿)』를 쓴 이규경(李圭景, 1788~1856)에게서 나왔다. 아마도 이규경은 『어우야담』을 비롯한 각정 서적에 실린 이야기들을 읽고 그런 평가를 하였을 것이다.

1,417 항목이나 되는 방대한 『오주연문장전산고』에서 북창과 연관 있는 항목들을 보면 다음과 같다. 〈햇빛 아래서도 그림자가 없는 사람에 대한 변증설(日中無影人辨證說)〉, 여기서는 우리나라 사람의 예로 북창을 들고

있다. 〈소변증설(嘯辨證說)〉, 여기서 소(嘯)는 휘파람이다. 역시 북창을 우리나라 휘파람의 일인자로 꼽는다. 〈동국(東國) 제일의 인재(人材)에 대한 변증설〉, 여기서는 선술(仙術, 신선의 술법)의 일인자로 정렴을 언급하고 있다.

북창의 이 휘파람 능력은 그의 음악적 재능과 연결된다. 그가 추천으로 조정에 나가게 된 첫 번째 능력이 음악이고 그가 맡은 직책은 장악원 주부였다. 거문고에 특히 뛰어났다는 정렴이고 가곡장단을 직접 가르쳤다는 것을 보면, 음악에 대한 재능이 남달랐음은 틀림없다. 또한 종이 술병을 깨트린 것을 바로 눈앞에서 지켜본 듯한 마지막 일화는 북창의 천리안을 확인할 수 있는 일화인데, 이는 등장인물이 바뀌면서 여러 형태로 변형되어 후대로 전해진다.

『어우야담』에 실린 북창의 이야기들을 보면 아직까지 그렇게 황당무계한 경우는 없다. 과연 그랬을까라며 고개를 갸우뚱하는 정도다. 하지만 이 정도에서 그치면 이는 옛날 이야기가 아니라, 사실에 근거한 조금 과장된 이야기에 불과할 뿐이다. 본격적인 옛날 이야기들은 앞으로 펼쳐진다. 신선이 되어 백성들의 마음을 돌본 북창의 신이한 이야기들을 들어보자.

참고로 완적과 손등에게는 다음과 같은 이야기가 전한다. 진(晉)나라의 완적이 소문산에서 손등을 만나 토론했으나 손등은 이에 응하지 않고 길게 휘파람만 불고 물러났는데, 완적이 고개 중간에 이르렀을 때 그 소리와 난새, 붕새의 소리가 골짜기에 메아리치듯이 들렸다고 한다.

3. 정렴이 멀리 있는 하인의 얼굴을 내다보다

북창 선생 정렴은 우리나라의 신선이다. 태어나면서부터 영특하고 기발하여 모든 책을 한 번만 보고도 다 외웠다. 천문, 지리와 의약, 점술, 음률과 산수 등 온갖 방술과 기예를 배우지 않고도 통달하여 저마다 오묘한 이치를 터득하였다. 그리고 유불도(儒佛道) 삼교의 근본 뜻까지 꿰뚫었던바, 그의 주장은 대부분 다른 사람들이 미처 논파하지 못한 것들이었다. 새와 짐승들의 소리에도 능통하였다.

젊었을 때 사신 가는 부친을 따라 중원 땅을 밟은 적이 있었다. 마침 조공을 바치러 온 남쪽의 서너 나라의 이민족 사절단도 와 있어서 북창은 옥하관(玉河館, 중국 북경에 있던 관사로 외국 사신들이 머물던 숙소였다)에서 그들과 자리를 같이했다. 그런데 저들의 말을 한 번만 듣고도 북창은 그들 언어를 구사할 수 있었다. 그들과 마치 술잔을 주고받듯 술술 대화를 나누었던 것이다. 이 광경을 곁에서 지켜보던 중국인과 우리나라 사람들만 놀란 게 아니라, 말을 주고받던 당사국 사람들조차도 화들짝 놀라지 않을 수 없었다. 이런 사실은 그의 『북창집』 서문에 상세히 기록되어 있다.

이처럼 평소 그의 행적은 기이한 게 무척 많았으나, 우리나라는 호사가가 없어서 지금 세상에 전해지는 일화는 거의 남아 있지 않다. 아래의 한 가지 괴이한 일만은 믿을 만한 전언으로 의심치 않기에 모쪼록 여기에 기록해 둔다.

북창이 하루는 다른 곳에 사는 고모를 찾아가 뵈었다. 고모는 북창에게 앉으라고 하고는 그와 조곤조곤 이야기를 나누었다. 그러고 나서 북창에게 이런 말을 했다.

"내가 종들한테서 곡물을 거두려고 종놈 하나를 영남으로 보냈단다. 한데 이놈이 돌아올 때가 됐는데도 통 오질 않는구나. 아마 도적 아니면 물난리 불난리 같은 예기치 않은 화를 당하지 않았나 싶구나. 걱정돼 죽겠구나."

북창이 곧바로,

"그러시면 제가 고모님을 위해 그 종이 어디쯤 있는지 훑어보고 말씀드리지요."

라고 했더니 고모는,

"장난하자는 거냐? 그게 무슨 말이냐?"

라며 웃으며 넘겼다. 그런데 북창은 앉은 자리에서 영남지방을 향해 바라보더니, 한참 뒤 고모에게 알렸다.

"이놈이 이제 막 조령(鳥嶺, 문경새재)을 넘었으니 걱정 안 하셔도 되겠네요. 다만 이놈이 어떤 양반에게 두들겨 맞았군요. 하지만 그건 저 스스로 부른 화라 불쌍해할 필요도 없겠네요.”

고모는 우스워 죽겠다며 그렇다면 왜 그렇게 되었느냐고 물었다.

“아무 양반이 조령의 고갯마루 길가에서 점심을 먹으려고 하는데, 이놈이 말을 타고 길 앞을 곧장 지나치면서도 내리지 않았지 뭐예요. 그래 이 양반이 화가 나서 자기 종을 시켜 말에서 끄집어 내리게 해서는 짚신으로 이놈의 뺨을 네댓 번 때렸지 뭡니까.”

고모는 장난으로 한 소리겠거니 하면서도 정색하고 이야기를 한 데다 말투에도 장난기가 섞여 있지 않아 자못 의아한 생각이 들었다.

북창이 떠나고 나서 고모는 그 날짜와 시간을 벽에 기록해 두었다. 뒤에 그 종이 집에 도착하였다. 고모는 그가 조령을 넘을 때의 날짜를 물어 벽에 기록한 것과 대조해 보니 조금도 차이가 없었다. 그래서 다시 물었다.

"조령을 넘을 때 양반에게 험한 일을 당한 적이 있었느냐?"

종은 놀랍고 괴상하다 싶어 두들겨 맞은 곡절을 낱낱이 아뢰었다. 그랬더니 북창이 말한 내용과 딱 맞아떨어졌다.

해설

이 이야기는 임방(任埅, 1640~1724)의 『천예록(天
倪錄)』에 수록되어 있다. 임방의 본관은 풍천(豊川). 자
는 대중(大仲), 호는 수촌(水村)·우졸옹(愚拙翁) 등이다.
『천예록』에서 천예(天倪)는 '하늘 가' 혹은 '무지개'를 뜻
한다. 그만큼 아련한 이야기들이라는 의미일 것이다. 이
이야기의 한글 번역본은 정환국, 보고사, 2023, 44~46쪽
에서 인용했다.

임방이 전해 들었지만 믿을 만하기에 적어둔다고 한
북창 정렴의 능력은 천리안이다. 천리 떨어진 곳의 일도
훤히 내다보는 능력. 앞의 『어우야담』에서, 종이 고개를
넘다가 술병을 깨뜨린 것을 그 자리에서 본 것처럼 말하
는 장면과 유사하다. 북창의 천리안 능력은 미래를 예견
하는 능력으로 점점 발전해서 민중들에게 경이로움을 선
사한다.

우리가 마블 영화들을 보는 것과 다르지 않다. 신기하고 초월적인 존재에 대한 갈망은, 벗어날 수 없는 현재와 현실의 고통을 잠시 잊게 하고 꿈을 꾸게 한다. 그 꿈들이 우리들의 살이를 버티게 해주고 풍요롭게 해준다면 마다할 일이 아니다.

4. 북창이 죽었다 살아나 만시를 짓다

북창 정렴 공은 정순붕의 아들이다. 세상에서는 동방의 이인으로 칭한다. 타고난 자질이 순수하고 풍채가 빼어나서 하늘이 내린 사람 같았다. 정신이 청명하고 욕심이 없었으며 육통(六通, 여섯 가지 신통술)의 술수에 통달했다. 어릴 적에 산사에서 글을 읽었을 때는 산 아래 백 리 안의 일을 모두 알았다. 사신을 따라 북경에 갔을 때는 여러 나라의 사신들을 만나 갑자기 그 나라들의 말로 응대했는데 막힘이 없었다. 유구국 사신은 공을 보고 절을 하며 말했다

"공은 신인(神人)이십니다. 제가 우리나라에 있을 때 주역점을 봤는데 모년 모월 모일에 중국으로 들어가면

이인을 만날 것이라고 하였습니다."

그러고는 주머니에서 적은 것을 보여주니 과연 이 날이 맞았다.

정순붕이 늘 흉악한 사람들과 모의하자 공은 문득 깊은 산속으로 들어가 통곡하며 지내다 나이 40여세에 죽었다. 이윽고 속광(屬纊, 고운 솜을 코나 입에 대어 숨을 쉬는지 확인하는 일)을 하고 집안 사람이 발상(發喪, 죽은 사람의 혼을 부르고 나서 상제가 머리를 풀고 슬피 울어 초상난 것을 알리는 일)하여 곡을 하는데 정렴이 홀연히 일어나 앉더니 말했다.

"내가 잊은 일이 있다"

붓과 벼루를 가져오도록 명하고는 자신의 만시를 지었다.

일생 동안 만 권의 책을 읽고

하루에 천 잔의 술을 들이켰지
높은 이상을 담아 복희 이전의 일을 말했고
속세의 말은 입에 올리지도 않았네
안회는 나이 서른에 아성이라 불렸는데
선생의 목숨은 어찌 이다지도 긴가

쓰기를 마치자 붓을 놓고는 생을 마쳤다.

해설

이 이야기는 박양한(朴亮漢, 1677~1746)의『매옹한록(梅翁閑錄)』에 실려 있다. 박양한의 본관은 고령(高靈), 자는 사룡(士龍), 호는 매옹(梅翁)이다. 매옹은 매화를 사랑하는 늙은이라는 뜻이며『매옹한록』은 이런 매옹이 한가하게 기록한 글이라는 의미다.『매옹한록』에는 조선에서 춘화(春畵, 남녀간의 성을 담은 그림)가 유통되던 풍속, 임진왜란, 이괄의 난, 병자호란 등의 큰 사건 및 이와 관련된 국왕과 관료들의 일화가 실렸으며, 역적이나 하층민과 관련한 특이한 일화도 담겨 있다. 한문 원문은 정환국 외 편,『정본 한국야담전집 2』(보고사, 2021), 136~137쪽 참조.

유구국 사신 이야기와 함께 북창이 죽었다가 다시 살아나 자신의 죽음을 애도하는 만시를 짓고는 다시 생을 마쳤다는 이야기가 덧붙여져 있다. 오늘날에도 심심찮게 죽은 줄 알고 관속에 들었다가 다시 살아난 이야기를 듣곤 하지만 북창의 실제 삶과는 거리가 있다. 평생 맑고 깨끗한 삶을 살고자 하였으나 이룬 것이 없는 허망한 삶. 그저 목숨만 연명했기에 44세라는 짧은 생조차 길다고 한 정렴의 만시. 그렇기에 더욱 애절하게 와닿는다.

촌무지렁이라는 말이 있다. 농촌과 같은 시골에 사는 사람들을 얕잡아서 하는 말이다. 촌무지렁이로 평생을 살아서 일흔이 된 어르신 한 분. 그분이 스스로를 낮추며 "촌무지렁이가 뭘 알겠어. 그냥 사는 게지"라고 하셨다. 왜 그런 말씀을 하셨는지, 구체적인 상황은 기억나지 않는다. 다만 그때 과연 촌무지렁이로 그냥 늙어가는 삶. 그런 삶도 의미가 있을깐 생각을 했었다. 그저 태어난 김에 산다고 하는 게 무슨 의미가 있을깐 생각.

그런데 지금은 그저 살아내고 살아가고 살아있음만으로도 가치가 있는 게 인간의 삶이 아닐깐 생각을 한다. 우리네들 삶이 힘들고 괴롭고 지치고 아프더라도 숨을 쉬고 살아가는 동안에는 가치를 지니는 게 아닐깐 생각. 차를 타고 잘 닦인 길을 달리다보면 길 옆에 자리잡은 무수한 생명들, 식물들, 나무들을 보게 된다. 그 생명들은 어떤 의미가 있어서, 무언가를 이뤄내서 생이 의미를 가진다기 보다는 그저 살아있음, 그 자체로 의미가 되는 것처럼, 우리네들 살이도 그런 게 아닐까 싶다.

참고로 여섯 가지 신통력을 말하는 육통(六通)은 다음과 같다. 세상의 모든 소리를 다 들을 수 있는 천이통(天耳通), 세상의 모든 빛을 다 볼 수 있는 천안통(天眼通), 만물의 소행(所行)을 다 알 수 있는 숙명통(宿命通), 타인의 마음에 있는 생각을 다 알 수 있는 타심통(他心通), 마음대로 변신할 수 있고 어디든지 갈 수 있으며 모든 행위에 아무런 장애도 없는 신족통(神足通), 번뇌가 완전히 없어진 상태인 누진통(漏盡通).

우리에게 이 여섯 가지 신통력이 다 갖춰져 있다면, 과연 어떨까? 재미있는 삶이 될까?

5. 북창이 허공으로 떠올라 하늘로 오르다

북창 정렴은 양주 괘라동에 있으면서 문을 닫고 10여 년간 수양을 했다. 어느날 저녁, 기가 얼굴로 올라와 불긋한 것이 대추와 같았다. 공이 애써 정좌를 하고 앉자 공의 자제들이 근심과 황망함으로 공의 옆에 늘어서 앉았다. 공은 모두 나가라고 명했다. 자제 가운데 한 사람이 창에 구멍을 뚫어 공을 바라보았다. 공이 나무라며 말했다.

"이미 나가라고 말했는데 또 어찌 엿보느냐? 나를 해치려고 하느냐?"

자제는 즉시 물러났다. 여러 사람들이 빙 둘러 대청에

앉았는데 한 여종이 약을 달여 공에게 드리려고 하였다.
여종은 문득 놀라 소리치며 말했다.

"공중을 보세요"

여러 사람들이 고개를 들어 바라보자 북창이 허공에
서 있었다. 북창의 얼굴이 새하얗게 빛났는데 옥과 같았
다. 점점 위로 떠오르다, 이윽고 구름속으로 들어가더니
아득하게 보이지 않았다. 사람들이 즉시 방에 들어가 바
라보니 공은 침상 위에 기대듯 누워있었는데 생생하니
잠든 것 같았으며 다시 붉은색을 회복하지 못했는데도
밝고 윤택함이 깃들어 이상했다.

시신을 들어 관으로 옮겼는데 가볍기가 빈 옷과 같았
기에 모두 해화(解化, 죽음을 도가적으로 표현한 말)했음
을 알았다. 북창의 외증손인 상사(上舍, 생원과 진사 시
험에 합격한 이력이 있는 사람을 부르던 말) 채덕윤(蔡
德潤)의 말이 이와 같았다.

해설

이 이야기는 신돈복(辛敦復, 1692~1779)의 『학산한언(鶴山閑言)』에 실려 있다. 신돈복의 본관은 영산(靈山), 자는 중후(仲厚), 호는 학산(鶴山)이다. 학산은 학이 사는 산을 뜻한다. 『학산한언』은 학산 신돈복이 기록한 한가한 이야기라는 의미다. 한문 원문은 정환국 외 편, 『정본 한국야담전집 3』(보고사, 2021), 40~41쪽에 수록.

북창의 외증손인 채덕윤이라는 사람의 실명까지 언급하며 위이 이야기가 사실임을 강조했다. 이는 독자들에게는 신뢰있는 정보임을 전달하여 보다 높은 흥미와 재미, 몰입을 가지도록 함이다. 그럴 듯한 이야기는 허무맹랑한 이야기보다 더 재미나게 마련이다.

이 이야기에서 북창은 인간의 육신을 그대로 두고 혼령만 하늘로 오른다. 보통의 혼령은 사람들의 눈에 보이지 않지만, 북창의 모습은 선명하게 여러 사람들의 눈에 보였다. 그만큼 그의 수련 내공이 깊다는 의미일 것이다.

해화(解化)를 하는 과정에는 금기가 있는데, 남의 눈에 띄면 안 된다는 점이다. 북창은 누차 이를 언급하고 호통을 치기까지 한다. 흔히 "절대 뒤를 돌아봐서는 아니 된다"라고 하지만, 뒤를 돌아보며 금기를 깨서 결국 공을 이루지 못하게 되는 옛날 이야기들도 많다. 다행히 북창에게는 이런 금기를 깨는 행위가 일어나지 않아, 무사히 인간의 육신을 벗고 하늘로 오르게 된다. 이야기를 지은 사람도 차마 금기를 깨서 북창을 서글프게 하고 싶지 않았기 때문일지도 모르겠다.

6. 자신의 수명을 덜어 선비인 친구에게 주다

북창 정렴에게는 선비인 벗이 있었는데 그는 늘 북창에게 자신의 운명을 헤아려 길한 것과 흉한 일을 알려주도록 하였으나 북창은 알려주지 않았다. 그 사람이 납월(臘月, 음력 12월) 일부러 찾아와서 간곡히 청하자 북창도 그의 뜻을 물리치기 어려워 마지못해 말했다.

"자네의 수명은 내년까지일세. 명을 늘이고 싶거든 정월 초하루 축시(丑時, 새벽 1~3시)에 남대문으로 가서 기다렸다가 문이 열리면 가장 먼저 나가게. 약현(藥峴, 서울 중구 만리동 입구에서 충정로3가로 넘어가는 고개. 이곳에 약초를 재배하는 밭이 있던 데서 유래된 이름)에서 만리현(萬里峴)에 이르면 도롱이(짚이나 띠로 엮은 비옷)를 입고 삿갓을 쓴 노인이 소를 타고 땔나무를 싣고 올 걸세. 만나면 바로 따라가서 간절하게 수명을 늘여달라고 빌어보게. 노인이 탐탁치 않게 여겨도 절대 중간에 멈추지 말고 종일토록 동서로 따라다니며 끊임없이 애걸하면 노인이 반드시 말이 있을 걸세."

선비가 정렴의 말과 같이 하였더니 과연 땔나무를 싣고 오는 노인을 만났다. 바로 절하고는 수명 늘이는 방법을 애걸하자, 노인은 화난 얼굴로 말했다.

"땔나무를 파는 늙은이일 뿐인데 어찌 수명을 늘이는 조화를 알겠는가."

누차 눈물을 흘리며 간청하고 그 간청이 더욱 간절할수록 노인의 질책은 더욱 맹렬해졌다. 선비는 노인의 뒤에 바짝 붙어 성안으로 따라 들어갔다. 수명을 늘일 방도를 원한다며 끊임없이 말하였지만 노인은 업신여기며 가르쳐 줄 뜻이 없었다. 땔나무를 팔고는 성밖으로 나왔다. 선비도 여전히 수명을 늘일 방도를 원한다는 말을 그치지 않고 한결같이 애걸하며 약현 어름에 이르자, 노인이 화를 내고 질책하며 말했다.

"괴롭구나 괴로워. 누가 자네에게 이렇게 하라고 하던 가?"

선비가 말했다.

"가르쳐준 사람을 굳이 알려드리지는 못하겠습니다. 그저 이 몸의 남은 수명을 가련히 여겨 은혜를 베풀어 한 마디 해주십시오."

노인이 말했다.

"이는 필시 정렴이 시킨 것이렸다. 정렴의 이번 일은 심했다. 정렴의 죄를 벌주기 위해 정렴의 수명 17년을 가 져와 자네에게 주겠네. 자네는 그리 알고 물러가게나."

선비는 바로 돌아와 북창을 찾았다. 북창이 말했다.

"자네는 과연 내 말 대로 해서 땔나무를 파는 노인을 만났지 않은가?"

"그렇네. 어르신이 성내고 꾸짖으며 말을 해주지 않는데 그 모습은 한마디 말로 설명하기 어렵지만 끝내 가르침을 받았다네."

북창이 말했다.

"어르신은 반드시 내 수명을 옮겨서 자네에게 주었을 걸세."

"과연 그렇네."

"내 이미 이리 될 줄 알았다네. 그래서 늘 자네에게 가르쳐주기 어려웠다네. 하지만 이 또한 운명인 것을 다시 또 어찌겠는가."

선비는 말했다.

"어르신은 어떤 사람이신가?"

북창이 말했다.

"하늘의 대사명성(大司命星, 하늘에서 인간의 수명을 관장하는 별이자 신선)으로 인간 세상에 귀양온 사람이라네. 비록 인간 세상에 있지만, 여전히 사람의 수명을 관장할 수 있다네."

해설

이 이야기는 노명흠(盧命欽, 1713~1775)의 『동패낙송(東稗洛誦)』에 실려 있다. 노명흠의 본관은 교하(交河), 자는 천약(天若), 호는 졸옹(拙翁)이다. 『동패낙송』에서 동(東)은 동쪽에 위치한 우리나라를 뜻하고 패(稗)는 민간에서 떠도는 이야기를, 낙송(洛誦)은 반복적으로 글을 읽음을 의미하는데 여기서는 여러 편의 글이 이어져 있음을 말한다. 동쪽인 우리나라 민간에서 떠도는 여러 편의 이야기들을 모은 것이 『동패낙송』이다. 한문 원문은 정환국 외 편, 『정본 한국야담전집 3』(보고사, 2021), 134~135쪽.

늘 자신의 수명이 언제까지인지 궁금했던 북창의 벗. 그 벗이 더 살아갈 길을 이미 알고 있었던 정렴. 자신의 명이 줄어들 것임을 뻔히 알면서도 벗의 생명을 이어준다. "이 또한 운명"인 것을 이라며 수긍하고 받아들이는 정렴은 타인을 위해 자신의 명을 기꺼이 내주는 선인(仙

人)이다.

조금 뜬금없긴 하지만, '내 곁에는 내 생명을 기꺼이 내주어도 아깝지 않은 사람이 있나?'라는 물음을 던져본다. '응. 다행히 있다.' 제아무리 친한 벗이라도 미안하지만, 내 명을 줄 수는 없다. 하지만 가족이라면 얘기는 달라진다. 내 명을 덜어 조금더 함께할 수 있다면 마다하지 않으리라.

북창의 이 이야기는 북창이라는 사람이 어떤 사람이었는지를 잘 보여준다. 그는 타인을 위해, 자신의 명을 줄여서라도 줄 사람이었다. 그래서 북창은 44세의 나이로 세상을 떠났다. 이 이야기 속에는 이런 북창의 짧았던 삶에 대한 아쉬움이 깔려 있다. 그가 그토록 일찍 세상을 떠날 수밖에 없었던 이유. 민중들은 그 이유를 북창의 이타심에서 찾았다.

북창은 중종과 인종이 승하할 때, 어의들과 함께 그 곁을 돌본 뛰어난 의원이었다. 하늘의 별을 보고 미래를 예측하는 추수법(推數法)에도 뛰어났다. 북창을 담은 많은 옛날 이야기들 가운데, 이 생명 연장의 꿈을 다룬 이야기가 어쩌면 북창과 가장 어울리는 이야기라는 생각도 해본다.

이 이야기는 다채롭게 변형되는데, 친구의 이름이 윤춘년 혹은 윤두수 등 실존했던 인물로 나타나기도 한다. 아울러 우리가 구비문학이라 부르는, 입에서 입으로 전해져 내려오는 옛날 이야기에도 등장한다. 이야기를 들려주는 어르신들 특유의 정감 어린 어투가 이야기의 맛을 더한다.

1984년 8월 24일 경상북도 선산군 무을면에서 지세해 어르신이 들려주는 구수한 옛날 이야기를 들어보자. 이 이야기는 한국구비문학대계(gubi.aks.ac.kr)에서 인용했다.

<이인(異人) 정북창>

어느(아는) 친구가 친한 친구가 참, 정북창 집에 온께, 그래 인사를 하고,

"친구 죽겠네."

"죽다이, 이렇게 생생한 사람을 보고 죽다 카이."

"어으 죽겠어."

그래 지금스리 곧 죽겠다 칸께,

"그래 죽을 일은 알만, 살 일은 모르는가?"

그래 가마 생각하디,

"알기는 알지."

"그머 죽거던 안 죽을 방침을 해주게."

"한 가지가 있네."

안 죽일 방책을 해달라 칸깨,

"그래, 어느 서울 종로걸에 가만 허연 노인이 꺼멍 암소에 낭클(나무를) 팔고 빈 걸로 오고 또 자기는 작대기, 지게 몸띠이다 감아서 겨고 그래 올터이 그 노인을 보고 살리 달라고 굴복을 하게."

이래. 그래 참 시기는 대로 종로걸에 가인께 날캉(말과) 같이 참 노인이 지게 몸띠다 작대기를 감아서 겨고 꺼멍 암소를 몰고 와여. 그래,

"살리돌라"고 굴복을 하인께,

"내가 뭘 안다고 살리 돌라 그래."

그래 이리 막아 섰으먼 이리 가고, 저어가 섰으먼 저리 가고 꼭 그카다가 산골짝에꺼지 가가주고. 일가도요 이 칸 집. 집이 하나 있어. 그 마다아다가(마당에다가) 정지(부엌) 하나 방 하나 지내다가 지게를 탁 놓으민서,

"이놈, 정북창이 보냈지."

그래 캐민서,

"정북창 날(정북창의 살 날) 십 년을 빌리 줄테이 가라."

그래 고맙다 카고. 고맙도 아이지, 같잖지. 친구를 내가 살자고 친구를 죽이게 되먼 그런 망신이 있나. 싶어

같잖애. 그래 딴 도리는 없다 캐. 그래 참 오민서(오면서) 자기 집으로 안 가고 정북창 집으로 찾아 갔어. 가인께

"만냈는가?"

"만냈네."

"만네 우엔노?"

"그래 친구의 날(살 날) 빌리주이 내가 살자고 친구를 죽이라 카이 되겠는가, 내가 죽는 게 낫지."

그래카이, 사양을 해샀다가,

"나는 시생(세상)이 귀찮은 사람이라."

정북창이.

"그래 날 죽이도 괜찮다."

그래 정북창이 죽고 이 사람이 십 년 더 살았어.

7. 천기를 누설하여 수명이 줄어든 정렴

북창과 나이가 비슷한 연배의 벗 한 사람이 병이 중해서 의술이나 약이 효과가 없었다. 늙으신 아버지는 북창이 신이(神異)하다는 것을 알고 와서 물으니 북창이 답했다.

"수명이 이미 다하였기에 구할 방도가 없습니다."

친구의 아버지는 눈물을 흘리고 애걸하며 구할 수 있는 방도를 청했다. 북창은 아버지의 마음을 가련하게 여기며 말했다.

"그렇다면 부득불 저의 명 가운데 10년을 덜어서 어르신 아드님의 수명에 더하도록 하겠습니다."

하고서는 말을 이어갔다.

"어르신은 내일밤 삼경(三更. 밤 11시~새벽 1시)이 지난 후, 혼자 남산 제일 꼭대기에 올라가십시오. 그러면 반드시 붉은 옷을 입은 중과 검은 옷을 입은 중, 두 중이 마주앉아 있을 것입니다. 그들 앞에 엎드려서 아드님의 명을 애걸하십시오. 비록 중들이 노하여 쫓아내더라도 절대 물러나지 마십시오. 또 몽둥이로 때려도 절대 떠나지 마시고 성의를 보이는 데 힘쓰시면 절로 그 방법을 알 수 있게 될 것입니다."

친구의 아버지는 정렴의 말대로 한밤중이 되자 홀로 달빛을 받으며 남산에 올랐다. 과연 두 중이 정렴의 말과 같이 있어서 그들 앞에 눈물을 흘리며 애걸하자, 두 중은 놀라며 말했다.

"산에 사는 중들이 지나가다 여기서 잠시 쉬고 있거늘,

공은 뉘시기에 여기서 이런 해괴한 행동거지를 하시오?
자제분의 수명이 길고 짧은지 빈승들이 어찌 알겠소. 속
히 물러가시오.”

친구의 아버지는 중들의 말이 들리지 않는 듯 전과 같
이 엎드려 눈물을 흘리며 애걸했다. 한참이 지나자 붉은
옷을 입은 중이 웃으며 말했다.

“이는 필시 정렴이 가르쳐 준 것이겠구려. 이 사람의
아이가 불쌍하니 정렴의 수명을 10년 덜어서 이 사람 아
이의 수명에 더해도 무방하겠지.”

검은 옷을 입은 중이 고개를 끄덕이며 말했다.

“알겠네.”

두 중이 비로소 그를 부축하여 일으키며 말했다.

“시험해 본 것이다.”

검은 옷을 입은 중이 소매 안에서 책자 하나를 꺼내서 붉은 옷을 입은 중에게 주었다. 붉은 옷을 입은 중이 그 것을 받고 달빛에 비춰보며 붓을 들어 글자를 쓰는 듯 보 였다. 그리고 말했다.

"공의 자제분은 지금부터 10년의 수명이 늘었습니다. 돌아가시거든 정렴에게 다시는 천기(天機, 하늘의 중요 한 비밀)를 누설하지 말라고 하십시오."

그러고는 홀연히 보이지 않았다. 붉은 옷을 입은 중은 남두성(南斗星, 남쪽 하늘에 있는 여섯 개의 별)이고 검 은 옷을 입은 중은 북두성(北斗星, 북두칠성)이었다. 친 구의 아버지가 집으로 돌아가자 자식의 병이 점점 나아 졌고 10년이 지난 후에 죽었다. 북창은 50이 되기 전에 죽었으니 자신의 말과 같았다.

해설

이 이야기는 이희평(李羲平, 1772~1839) 또는 이희준(李羲準, 1775~1842)이 편찬한 『계서잡록(溪西雜錄)』에 실려 있다. 계서는 이희평의 호로 '개울의 서쪽'이라는 의미다. 아마 개울 서쪽에 집이 있었던 듯하다. 이와 이름이 유사한 『계서야담(溪西野談)』이라는 책이 있는데, 『계서잡록』에서 일부 이야기들을 가져왔지만, 같은 책은 아니다. 한문 원문은 정환국 외 편, 『정본 한국야담전집 5』(보고사, 2021), 76~77쪽.

앞서 본 〈자신의 수명을 덜어 선비인 친구에게 주다〉와 유사한 이야기다. 정렴에게 청을 하는 사람이 벗의 아버지로 바뀌었고 명을 결정짓는 신이한 존재도 대사명성에서 남두성과 북두성의 신선들로 바뀌었다. 이처럼 이야기의 세부적인 몇몇 장치들의 변화는 있지만, 북창이 자신의 수명을 덜어 타인의 수명을 연장시킨다는 큰 줄기는 변함이 없다.

자신이 천기를 누설한 죄로 10년의 수명이 줄어들 것을 미리 알고 있었던 정렴. 진인사 대천명(盡人事待天命, 사람의 일을 다하고 하늘의 명을 기다림)처럼 우선 스스로의 정성을 다해보도록 요구하는 신선들. 시험이라는 이 과정을 통과하면, 속세에서는 쉽사리 얻지 못하는 하늘의 선물을 받을 자격이 생긴다. 열심히, 부지런히 인간의 생을 영위하는 것. 그것이 우선 되어야 천운도 따르는 법이다. 그러기에 오늘을 사는 우리도, 우선 인간의 일인 인사(人事)를 다해보면 어떨까.

8. 정북창이 악한 기운을 살펴 재액을 없애주다

북창 정렴이 그 동생 고옥(古玉) 정작(鄭碏)과 함께 어느 곳을 지나다가 한 집의 기운을 보고는 말했다.

"아, 저 집 참 애석하다!"

그러자 동생이 대꾸했다.

"형님은 어찌 그리 경솔하십니까? 아무 말 없이 지나가는 게 나았겠습니다. 그러나 일단 말을 내뱉으셨으니 어찌 차마 그냥 지나가겠습니까?"

"네 말이 옳다."

그래서 북창은 동생과 함께 그 집으로 들어가 하룻밤을 지내고는 그 주인에게 말했다.

"우리가 이 댁에 들어온 이유는 주인에게 없애야 할 액운이 있기 때문입니다. 주인께서는 제 말을 기꺼이 따르시겠습니까?"

주인이 말했다.

"명한 대로 따라야겠지요."

북창이 말했다.

"참숯 오십 석(가마니)을 오늘 안으로 마련해오시오."

주인이 그 가르침대로 했다. 북창이 참숯을 마당에 쌓아두고 불을 붙이게 하고는 가운데 큰 나무 궤짝을 올려놓았다. 그때 온 집안 사람들과 동네 사람들이 모두 모였다. 주인집 아들은 나이가 열 몇 살이었는데 역시 무리에 섞여 구경하고 있었다. 북창이 즉시 그 아이를 잡아서는 나무 궤짝 속으로 던져놓고 뚜껑을 덮어버렸다. 주인집 사람들이 놀라고 두려워 통곡하니 그 광경이 참혹하기 짝이 없었다.

그러나 북창은 얼굴빛이 조금도 달라지지 않았다. 종들을 크게 꾸짖으며 빨리 다 태우라고 재촉했다. 주인도 어찌할 바를 모르고 또 말릴 방도도 없어 참혹해하고 애석해할 따름이었다. 모든 게 다 타버리자 북창은 궤짝을 열어보게 했다. 큰 구렁이가 타버리고 형체만 남아 있었다. 북창이 몸소 구렁이 재를 뒤적여서 낫의 끝부분을 찾아내 주인에게 보여주며 말했다.

"이 물건을 알아보겠나요?"

주인이 대답했다.

"예, 알아보지요. 제가 십 년 전에 연못을 파서 물고기를 길렀지요. 그런데 물고기들이 자꾸 줄어드는 게 이상해 살펴보니 큰 구렁이 한 마리가 물고기들을 잡아먹고 있었지요. 제가 분통이 터져 큰 낫을 하나 만들어 휘둘러서 그 구렁이를 없애려 했습니다. 어느 순간 구렁이를 찍었는데 낫 끝도 부러지고 구렁이 역시 죽어갔지요. 이 쇳조각이 바로 그 낫끝 아닐까요?"

그러고는 종을 불러 창고 안에 보관해둔 낫을 가져오게 했다. 쇳조각을 대어보니 조금의 오차도 없었다. 북창이 말했다.

"주인의 아들에게 그 구렁이의 독이 심어진 것이지요. 복수를 노리고 있었으니 만약 몇 달 더 지났더라면 귀댁은 망측한 변을 당했을 겁니다. 그러나 그 악한 기운이 먼저 드러났기에 우리가 차마 그냥 지나칠 수 없어 이런 조치를 취한 것입니다. 이제는 아무 염려하지 않아도 될 것입니다."

그러고는 작별하고 떠났다.

해설

이 이야기는 편찬자를 알 수 없는 『청구야담(靑邱野談)』에 실려 있다. 청구는 '푸른 언덕'이라는 의미로 옛부터 우리나라를 부르던 이름 가운데 하나다. 『청구야담』은, 우리나라에 전해지는 민간의 이야기라는 의미다. 이 글의 한글 번역문은 이강옥 편역, 『청구야담 상 권2』(문학동네, 2019), 220~222쪽에서 인용했다.

북창과 아우 고옥이 함께 뜻을 모아 원한을 품은 구렁이의 재앙이 닥친 집안을 구한 이야기다. 모르고 지나쳤으면 몰라도, 이미 다른 사람의 어려움을 보고 알게 되었다면 그냥 지나치지 못하는 것이 인지상정 아니던가. 제아무리 각박해진 세상을 살아가는 우리지만, 선한 일은 선한 일로 돌아온다는 말을 믿으며 살아가면 어떨까 싶다.

조금 손해보고 바보 같다는 소리를 들어도, 선함을 베풀고 살다보면 좀더 살기 좋은 세상이 되지 않겠는가. 우리가 지금 이런 북창 형제의 이야기를 읽듯이, 먼 훗날 누군가는 나의 선함을 이야기하지 않을까. 옛날 이야기들은 우리에게 이런 포근한 마음의 선함을 알게 해준다.

9. 북창이 아버지를 구하지 못하고 과천으로 떠나다

정순붕에게는 세 명의 아들이 있었다. 장자는 북창 정렴이고 둘째는 고옥 정작이며 막내는 감사(監司, 도를 관장하던 관찰사)를 지낸 정현이다. 정현은 후처의 소생이다. 북창은 태어난 바탕이 이미 아름다웠고 깊이 수학(數學, 수를 헤아려 미래를 예측하는 학문)에 통달하였다.

정순붕이 연경에 갈 때 북창은 자제군관(子弟軍官, 사신의 아들에게 임시로 주던 직책)이 되어 함께 연경에 이르렀다. 여러 나라 사신들이 한꺼번에 모였을 때, 북창이 각각 그 나라들의 말을 물 흐르듯 자연스럽게 하며 응대하였을 뿐만 아니라 여러 나라들의 이름난 산과 강, 인물과 보물을 다 알고 말하였다. 그러자 여러 사신들이 경탄

하고 탄복하였다고 한다.

정렴과 정작 형제는 모두 이름난 현인이 되었는데 정현은 요사하고 간사했다. 자신의 아버지를 흉악한 당파로 이끈 것도 모두 정현이었다. 북창이 몰래 아버지에게 말했다.

"집안을 망치는 자는 정현입니다. 현이는 여우의 정령(精靈)입니다. 만약 믿지 못하시겠거든 시험해보시기를 청합니다."

이렇게 말하고는 정현을 불러 앞에 앉히고는 북창이 정현의 등뒤에서 약간 떨어진 곳을 손으로 누르고는 정현에게 "일어나라" 하자 정현이 일어나지 못했다. 아버지가 괴상하게 여겨 묻자 북창이 대답했다.

"꼬리 끝을 잡았기 때문에 일어나지 못하는 것입니다. 아버님께서는 헤아려주시옵소서."

그러나 정순붕은 여전히 믿지 못하고 한결같이 정현을 따르고 북창 형제를 의심하였다. 북창은 아버지를 구할 수 없음을 알고 과천으로 떠났다.

해설

　이 이야기는 지은이를 알 수 없는, 『청야담수(靑野談藪)』라는 책에 수록된 이야기다. 『청야담수』에서 '청야'는 우리나라를, '담수'는 이야기를 모음이라는 의미다. 서울대학교 규장각한국학연구원에서 소장하고 있다.

　이 이야기는 을사사화를 두고 벌어졌던 정렴과 정현의 갈등을 잘 보여준다. 중간자적 입장이었던 아버지 정순붕에게 장남 정렴은 사화를 일으키는 일에 반대, 정현은 사화에 적극적인 동참을 말했다. 결국 정현의 말을 따르게 된 정순붕이고 그 결과 정렴은 포천 현감직을 잠시 맡았다가 벼슬을 그만두고 은거 생활을 시작한다.

　선한 정렴과 악한 정현이라는 선악의 대결 구도는 정렴의 옛 이야기에 자주 등장한다. 이 구도가 한 집안에서, 형제 사이에서 벌어졌으니 비극이 아닐 수 없다. 이 비극을 이해하기 위한 장치가, 여우의 정령이다. 인간을 홀리는 여우. 그런 여우에게 이미 정신을 빼앗긴 정현이기에 악할 수밖에 없었다는 인식. 그래야 형제 사이의 갈등을 이해하게 된다.

이렇듯 우리네들 옛날 이야기에는 독자들이나 청자들을 이해시키기 위한 그럴 듯한 여러 장치들이 등장한다. 여우의 혼령처럼 그 장치들이 허무맹랑 하기는 하지만, 그렇기에 더 재미있는 게 아니겠는가. 상상과 허구를 사실이 아니라고 배척하지 말고 그 자체로 받아들이며 즐기면 우리네들 삶은 좀더 풍요로워지리라.

10. 북창이 키신 든 가난한 선비를 되살려주다

북창이 알던 사람 가운데 가난한 선비가 있었다. 호남으로 가게 되어 북창을 만나러 왔는데 북창이 말했다.

"그대가 돌아오는 길에 괴상한 일을 보게 되거든, 바로 나를 만나러 오게나."

가난한 선비는 그러겠다고 말하고 길을 떠났다. 선비가 돌아오는 길에 과천 남타령(南陀嶺)에 이르자 해가 졌다. 홀연히 한 종이 말고삐를 잡고는 선비 앞에 나타나더니 말했다.

"이 말을 타고 가면 성문이 닫히기 전에 성안으로 들

어갈 것입니다."

길가에서 쉬고 있던 선비는 매우 기뻐하며 말을 타고 갔다. 순식간에 동작 나루를 건너더니 자신의 집에 이르자 종과 말이 사라졌다. 집에 들어서니 아들이 보이는데 책을 읽고 있었다. 불러도 대답이 없길래 괴이하게 여기며 몸을 돌려 안방으로 들어가니 처가 옷을 꿰매고 있었다. 역시나 불러도 대답이 없자, 선비는 크게 화를 내며 발로 처를 내찼다.

처는 갑자기 혼절하더니 자리에 쓰러졌다. 집안은 한편으로는 약을 준비한다고 분주해졌고 한편으로는 무당을 불러『옥추경(玉樞經)』(도교의 경전)을 외느라 바빴다.

가난한 선비는 문밖으로 쫓겨나 생각했다. '내가 지금 죽었구나. 죽지 않았다면 어찌 이런 일이 일어나는가' 하고는 북창을 만나러 갔다. 북창은 웃으며 말했다.

"드디어 오셨는가."

선비가 자신이 겪은 일을 말하자, 북창이 말했다.

"자네는 지금 귀신이지 사람이 아닐세"

선비가 울면서 살려달라고 말하자, 북창이 말했다.

"당연히 자네를 위해서 해야지. 내 소매 속으로 들어와 보게나."

선비는 깨닫지 못하는 사이 벌써 북창의 소매 안으로 들어와 있었다. 공이 즉시 남문 밖으로 나서 남타령 길옆에 이르자, 한 구의 시체가 누워 있었다. 공이 소매 속에서 가난한 선비를 불러내어 시체의 몸 위로 밀어넣자 시체였던 선비는 일어나 앉더니 말했다.

"제가 과연 귀신이었다가 지금은 다시 사람이 되었습니까?"

공은 웃으며 말했다.

"그렇네."

마침내 함께 돌아오니 날이 이미 밝아 있었다. 가난한 선비가 자신의 집에 이르자 아들이 절을 하고 맞이하며 말했다.

"어젯밤 어머님께서 갑자기 험한 일을 당해 아직까지 깨어나지 못하고 있사옵니다."

가난한 선비는 말없이 듣고 있다가 급하게 북창을 보러 가서는 목숨을 구해준 은혜에 감사하며 물었다.

"저 말을 끌던 귀신은 어떤 귀신이었습니까?"

북창이 말했다.

"그 귀신은 역졸(驛卒, 역에서 심부름 하는 사람)의 귀신이라네. 어제는 자네의 명이 다하던 날이었는데, 우연히 이 귀신과 서로 만나게 되어 그렇게 된 것이라네."

해설

이 이야기는 서유영(徐有英, 1801~1874)의 『금계필담(錦溪筆談)』에 실려 전한다. 서유영의 본관은 달성(達城), 호는 운고(雲皐)다. 『금계필담』에서 금계는 지금의 충청남도 금산(錦山)으로, 서유영이 낙향하여 생활하다가 생을 마친 곳이다. 필담은 붓으로 적은 이야기라는 뜻이다. 서유영은 말년에 외로움을 느껴 스스로의 마음을 달래고자 심심풀이가 될 수 있는 이 책을 쓴다고 했다.

이 이야기에서 알 수 있듯 정렴은 늘 생명을 구하는 사람으로 등장한다. 자신의 수명을 나눠주기도 하고 재난에 빠진 사람들을 구원하는 구원자의 모습이다. 천리 밖을 바라보고 미래를 알며 살아날 방법까지 모두 알려준다. 가진 바 재주는 뛰어나지만 그 재주를 제대로 펼치지 못하고 명을 달리한 비운의 천재는 모든 것을 나눠주는 구원자가 되었다.

21세기, 현재를 살아가는 우리에게 이런 구원자는 존재할까? 키다리 아저씨와 같이 전폭적인 지지와 응원을 보내며 '너의 삶을 감싸줄게'라고 말해주는 사람과 비슷하려나. 나의 생명을 덜어 너를 살려주지는 못해도 따뜻한 말 한마디, 따뜻한 가슴이 시키는 작은 선행 하나쯤은 남모르게 베풀어도 좋지 않을까? 그렇게 살다보면 우리는 우리들에게 서로가 구원자 비슷한 무언가가 될 테니 말이다.

11. 북창이 자식의 죽음에도 냉담하다

북창 공이 자식을 하나 낳았다. 총명하고 영리하기가 남들 보다 뛰어나 보는 사람들이 모두 원대한 뜻을 이룰 것이라고 말했지만, 공만은 그런 말이 없었다. 아이가 자라 장성하였는데도 결혼에 대한 말이 없자, 부인이 이상하게 여겨 공에게 그 연유를 물었지만, 공은 답이 없었다. 얼마 지나지 않아 아들이 죽고 말았다.

공은 곡도 하지 않았지만 부인은 슬프고 애통하여 여러 번 기절했다. 공이 부인에게 말했다.

"부인, 죽은 아이의 본 모습을 알고 싶소?"

발인하는 날 밤이 되자, 사람을 수구문(水口門, 성안의 물이 성밖으로 흘러가는 곳에 있는 문. 조선시대 광희문)으로 보내 전교(箭橋, 살곶이다리)에 잠복하여 엿보게 했다. 장례 행렬이 지나간 후, 과연 흉악하고 교활한 늙은 중이 지나가면서 혼잣말을 했다.

"내가 복수를 하고자 그놈의 집안 자식으로 태어났는데 이런 독한 경우를 만났으니 이 한을 끝내 풀 수 없겠구나. 내 원수 갚는 일은 이 걸로 끝이다."

하고는 사라졌다. 이를 보고 들은 사람이 집으로 돌아와 부인에게 알렸다. 부인은 크게 놀라며 공에게 물었다.

"이 중은 어떤 중입니까?"

공이 웃으며 말했다.

"내가 젊은 날, 이 중이 자신의 힘을 믿고 사람을 죽이기에 살곶이다리 아래로 떨어뜨려서 죽인 일이 있었네.

그 녀석이 나에게 원수를 갚고자 내 아들로 태어나 사람들에게 총명하고 영리하다는 말을 들었지. 지금 이렇게 요절하여 나를 애통하게 하려고 했으나 나는 이미 알고 있었으니 어찌 애통한 마음이 있겠는가."

부인은 이 말을 듣고 애통해하는 마음이 조금 가셨다고 한다.

해설

　이 이야기도 앞선 서유영의 『금계필담』에 실려 있다. 북창에게 원한을 품은 중이, 북창의 아들로 태어나 영민함을 보이다가 죽게 되면, 북창의 억장이 무너지리라 생각하고 계략을 꾸몄으나 실패하고 만다. 이미 북창은 아들의 정체를 알고 있었기 때문이다.

　북창에게 해를 가하려는 존재들을 살펴보면 대개 북창으로 인해 자신의 사악한 뜻을 이루지 못한 경우가 많다. 이 중 역시 패악한 짓을 저지르다가 북창에게 응징을 당한 후, 앙심을 품고 북창을 괴롭히려 했으나 실패했다.

　이 이야기의 구전 설화 버전에는 두 가지가 존재하는데 모두 악을 상징하는 존재들이 북창의 자식으로 태어나 북창을 괴롭히려다가 실패하여 떠난다는 줄거리다. 인간이 느끼는 감정 가운데 가장 아픈 감정이 자식을 앞세우는 슬픔이 아닐까 싶다. 그래서 악한 존재들은 북창의 자식으로 태어나지만, 북창은 이미 이를 알고 이들에게 애정을 주지 않는다. 자신의 진짜 자식이 아님을 알기 때문이다. 이는 뒤에서 읽어 보기로 한다.

선을 권하고 악을 징벌한다는 권선징악(勸善懲惡)은 우리들이 모두 바라는 해피 엔딩과 같다. 그러나 우리가 살아가는 세상은 그리 호락호락 하지 않다. 선한 일을 했지만 결과가 나쁠 수도 있고 선을 베풀어도 악으로 돌아올 때가 있다. 그러다 보니 나의 선함을 드러내고 싶어도 망설이게 될 때가 있다. 행여 나에게 해가 되지 않을까 두렵기 때문이다. 그럼에도 선행을 베푼 뉴스를 접하면 우리의 가슴에는 따스한 온기가 자리잡아 미소를 꽃피우게 한다.

각박한 세상, 각자도생의 이 시대에도 여전히 우리는 선함을 간직하고 있다. 우리 안에 있는 선함. 그 부드럽고 여린 따뜻한 마음이 봄날의 진달래처럼 연분홍의 고운 꽃잎을 피워냈으면 좋겠다. 그러니 나부터, 가까이에서부터 우리의 선함을 드러냈으면 한다. "바보처럼 왜 그렇게 사냐"라는 소리를 들어도 "응, 그래 나 바보야. 그래서 괜찮아"라며 자신있게 말할 수 있는 세상. 그렇게 자신의 여린 선함을 단단하게 지켜가면서 살았으면 좋겠다. 그런 세상이 오기를 간절히 바라본다.

12. 북창 형제가 수령의 탄생 비화를 알다

한 고을 수령이 있었는데 밤마다 괴이한 꿈을 꾸길래 아버지 산소에 흉한 일이 있나 싶어 무덤을 옮기고자 했다. 어머니께 말씀드렸더니 어머니가 말씀하셨다.

"옮기지 말거라. 다만 개성까지 가서 옮기는 건 된다."

수령은 왜 개성까지 가야하는지, 어머니의 말이 이해가 되지 않았다. 하루는 어머니의 환갑 잔치를 하게 되었는데 정북창 형제가 다녀갔다. 수령은 이미 북창이 비범한 사람임을 알았기에 몰래 사람을 보내서 북창 형제가 묵는 숙소로 가서 엿듣게 했다. 밤이 깊었는데 아우가 형에게 말했다.

"오늘 잔치에서 돼지고기는 어떠했습니까?"

형이 말했다.

"이 고기의 맛은 반드시 사람의 젖을 먹여 기른 돼지였다."

아우가 말했다.

"그렇지요. 술맛은 어땠던가요?"

형이 말했다.

"이는 틀림없이 무덤 위에서 자란 보리로 빚은 술맛이었다."

동생이 말했다.

"그렇지요. 그럼 수령은 어떤 사람으로 보이던가요?"

형이 낮은 목소리로 말했다.

"그 사람은 중의 아들이다."

아우가 말했다.

"그렇군요."

심부름꾼이 돌아와 돼지고기와 술, 이 두 가지는 알렸지만, 세 번째 수령에 대한 얘기는 "감히 말할 수 없습니다"라고 하였다. 수령이 말하라며 강요하자, 수령의 귀에 대고 사실을 말했다. 수령은 내당으로 들어가 어머니께 사실을 물었더니 어머니가 탄식하며 말했다.

"정렴이 과연 이인이구나. 지난날 내가 너에게 개성에서 묘를 옮겨야 한다고 말한 것도 이 때문이다. 너의 아버지가 생전에 식솔들을 이끌고 기장(圻庄)에 머물면서

집을 수리한 적이 있었다. 그때 목수는 개성에서 온 중이었지. 어느날 밤, 집안에 사람이 없었는데 중이 그 틈을 타 내 방으로 들어오더구나. 나는 두려워하며 한사코 거부했지만 그는 도리어 추한 쇠붙이를 드러내어 어쩔 수 없이 따를 수밖에 없었고 너를 가지게 되었다. 그 중이 너의 친아버지다. 그 중의 선영(先塋, 조상들의 무덤)이 개성에 있었을 것이다. 너가 말한 아버지의 무덤이 이러하니 너가 어찌 관여하겠느냐."

해설

이 이야기는 황윤석(黃胤錫, 1729~1791)의 『이재난고(頤齋亂藁)』에 전한다. 황윤석의 본관은 평해(平海). 자는 영수(永叟), 호는 이재(頤齋)·서명산인(西溟散人)·운포주인(雲浦主人)·월송외사(越松外史) 등을 썼다. 『이재난고』에서 '이재'는 황윤석의 호이고 '난고'는 어지럽게 정리되지 않은 원고라는 의미로 자신의 글을 낮춰 부르는 말이다. 한국학중앙연구원 장소각에서 소장하고 있다.

사람의 젖으로 기른 돼지와 무덤에서 자란 보리로 빚은 술. 이는 정상의 범주를 벗어난 비정상적이고 기괴한 일이다. 연하고 부드러운 돼지고기를 먹기 위해, 예전 중국에서 실제로 새끼 돼지에게 사람의 젖을 먹여 기른 적이 있었다고 한다.

참으로 이해하기 힘든 의식구조가 아닐 수 없다. 제아무리 권력과 부를 가졌더라도 어찌 저런 비윤리적인 행위를 할 수 있었을까. 무덤이 즐비한 곳을 고르게 하여 보리를 심고 그 보리로 술을 담다니, 이것도 그에 못지 않은 비윤리적인 행위다.

세상이 변하면서 우리 조상들이 공동체라 부르는 사회를 지탱하고 유지하기 위해 만들어 놓은 많은 가치들이 변하고 있다. 일부는 개인의 자유와 맞물려 보다 긍정적인 측면으로 변해가기도 하고 일부는 지나쳐서 정도를 벗어났다는 비판을 받기도 한다. 이런 과정은 악기의 음을 고르듯, 조율하는 과정일 것이다. 받아들일 만한 것들은 우리들에게 남을 것이고 지나친 것들은 배척되어 사라질 것이다. 이런 조율의 과정은 내 자신의 마음속에서도 끊임없이 일어난다.

선을 권하고 악을 징계하는 권선징악의 옛날 이야기들은 내 마음을 조율하여 조금더 선한 쪽으로 움직이게 한다. 비범한 능력으로 악을 물리치고 선한 이를 구해주는 존재. 그런 존재는 선하게 살고자 하는 나의 의지에 힘을 더해준다. 굳이 북창의 옛날 이야기가 아니더라도 우리들에게 그런 사람이 곁에 있고 그런 사람의 이야기가 전해진다면, 참 좋은 일이다. 사람 살 만한 세상을 만드는 일, 그 일의 시작은 바로 나 자신부터의 실천이 아닐까 싶다.

13. 북창이 제수씨인 구씨를 알아보고 잘 대해주다

북창 정렴 공은 4형제였는데 막내는 도사공(都事公)으로 나의 7대조 통진공(通津公)의 셋째 사위였다. 북창은 늘 구씨가 출입할 때 반드시 일어나 공경하고 삼가는 모습을 보였으나 다른 제수씨들에게는 그러하지 않았다. 집안 사람이 괴이 여겨 그 연유를 물었더니 대답했다.

"우리 집안은 장차 망하여 후손이 없을 것이나, 이 제수씨만이 오직 자손을 보존하여 우리 성(姓)을 전할 것이기에 이와 같이 공경히 대한다."

나의 8대조인 영유공(永柔公)이 상을 당하자, 북창이 친히 장혈(葬穴, 시체를 묻는 구덩이)을 살피면서 말했다.

"내 평생 이런 일을 한 적이 없는데 오늘 이 일을 하는 것은 구씨 제수가 정씨의 맥을 이을 은혜를 갚고자 함이다."

그 구덩이는 국장(國葬, 나라에서 주관하는 장례)을 지내는 매표처(埋標處, 미리 좋은 묏자리를 찾아 그 자리에 표식을 묻어두는 곳)와 매우 가까웠다. 매표처는 무학대사(이성계에게 한양 천도를 권한 스님)가 점쳐 놓은 곳이었다. 통진공이 물었다.

"무덤을 쓰지 말도록 금지된 곳이 가까운 곳에 있는데 후환이 있지 않겠습니까?"

북창이 대답했다.

"가깝긴 하지만 후환은 없을 것입니다. 다만 과폄(過窆, 무덤 구덩이를 파는 일)은 말씀과 같을 것이나 그 후에는 장차 문관과 무관에서 모두 현달한 자손들이 있을 겁니다. 그 가운데 한 문중은 가장 깨끗하고 높게 될 것이구요."

그후, 문정왕후(중종의 둘째 부인, 명종의 어머니)가 상을 당하자 이 매표처가 장지로 점쳐져서 무덤을 쓸 구덩이를 파기 시작했으나 절반도 지나지 않아 큰 돌을 만나 그만두게 되었다. 이렇게 우리 집안은 무사하게 되었으니 무학대사가 북창 보다 못한 것이다.

그후 원종(元宗, 조선 선조의 다섯째 아들. 인조 즉위 후 대원군에 책봉되었고, 사망 후 인조에 의해 추존된 왕)이 승하하자 화와 위험이 하늘을 덮어 매장할 산을 구할 수 없었기에 우리 산의 한 곁을 빌려 무덤을 썼다.

계해년의 개옥(改玉, 나쁜 임금을 폐하고 새 임금을 세우는 일을 이르는 말, 인조반정) 후에는 산을 빙들러 화재가 일어나 금표(禁標) 안의 각 성씨의 여러 봉분들이 모두 파내졌지만 우리 집안은 조금 늦었고 능을 김포로 옮겼다.

주상(임금)은 화재를 끈 공으로 특별히 우리 집안에 상을 내렸다. 이로 인해 경기 지역 안의 사대부 가운데 가문의 무덤으로 쓰이는 산의 넓고 크기가 우리 집안 만한 곳이 없었다. 직계 자손과 방계 자손을 따지지 않고 모두 이 땅에 들어와 장지를 썼기에 세장지(世葬地, 대대로 무덤으로 쓰는 곳)가 되었다.

북창의 집안은 과연 온 집안이 화를 당했고 북창과 고옥은 또한 자식이 없었으며 구씨만 홀로 자식이 있었기에 정씨 성은 이로 인해 끊어지지 않았다. 영유공(永柔公)의 산소는 양주(楊州) 군장리(群場里)에 있으며 이로부터 자손들이 매우 번성했다. 지난날의 화려하고 빛남 역시 이곳에 있었다. 이후 한 일파가 맑고 높게 되었으니 우리 일파가 아닌가! 많은 풍수가들이 이곳을 좋은 묏자리라고 칭송했다.

해설

이 이야기는 구수훈(具樹勳, 1685~1757)의 『이순록 (二旬錄)』에 실려 있다. 구수훈의 본관은 능성(綾城). 포 도대장을 지낸 무인이지만 글재주가 있었다고 한다. 한 문 원문은 정환국 외 편, 『정본 한국야담전집 2』(보고사, 2021), 353~354쪽.

이 이야기는 집안에 전해 내려오는 이야기를 구수훈이 정리한 듯하다. 사실 여부를 확인하기 어렵지만, 그럴듯 한 개연성은 가지고 있다. 풍수지리를 믿고 따르는 데는 그만한 이유가 있었다. 하늘의 변화와 인간사의 변화가 동떨어지지 않았던 시절이었으니, 산과 강이 만들어내는 자연의 혈맥도 인간사의 혈맥과 동떨어지지 않는다고 여 겼다.

좋은 혈자리를 찾아 산소를 쓰고자 함은 죽은 이를 위 함이기 보다 후대를 위한 경우가 많다. 죽은 이의 삶을 기리기 위해 볕이 좋은 곳을 마련함도, 후대 자손들의 번창과 안녕을 위해 명당 자리를 찾음도, 선대와 후손이 모두 서로를 위하고자 하는 따스한 인간애의 표현이었을 것이다. 그러나 시대는 변했고 인간애의 표현도 변했다.

"내 죽음이 너희들을 번거롭게 하길 원하지 않으니, 적당히 화장을 해서 아무 곳에나 뿌리고 굳이 애써 제사를 차리지 말고 너희들끼리 오붓하게 모여 여행이라도 다니며 화목하게 지내거라"라는 유언이 가능해진 시대가 되었다.

장례식장을 다니다보면 우연찮게 "그래. 어차피 가실 분이었으니 잘 됐지 뭐. 그래 유산은 얼마나 받았대?"라는 말을 심심찮게 들을 수 있는 세상이 되었다.

올해 처음 함박눈이 내리던 날, 그날 함박눈 꽃송이는 참 따스했다. 혹한이 와야 볼 수 있는 함박눈처럼 이제 우리들의 인간애도 꽃을 피울 때가 아닌가 싶다.

14. 북창 선생과 중국 미녀

전북창님(정북창님)이 이 중국 태극정 중수를 할 때 그게 요새로 말하만 임원이 매꼈던(맡겼던) 모냥이라. 감독을 하던지 머 이런거 삼 년을 하고 삼 년만에 인자 준공을 하고 나오는데 이 양반이 거 가서 일 년 반 된께 자기 처소가 떡 그게 머 철책이나 보고 이래 가지고 하로저녁에는 꽃같은 미인이, 요하미인이, 한 부인이 들어와. 그래 전북창이 그 책길에,

"여보, 남녀가 유별한데 그 젊은 부인이 밤이 야심한데 왜 여 남의 처소에 들어와? 싸게 나가."

"예 그렇습니까, 저 나가겠습니다."

그래 도망을 갔지 그래 그때부턴 '여름에 아 이거 길조가(좋은 징조가) 아이로구나. 무슨 일이 이런 일이 있노?' 아 그 이튿날, 저녁에 또 뱀(밤)이 야삼됐는데(야삼경, 밤 11~새벽 1시) 그 시간된께 또 그 부인이 와.

　　"여보 또 왜와 싸게 나가"

　　그래 나가민선 시리리 나가민선,

　　"허 그거 할 수 없네."

　　그래 나가거던. 사흘째 거듭 온다.

　　"왜 또와 그런 행동을 하는데 싸게 나가."

　　그래 그 부인이 답을 하기를 머라꼬 하는기 아이라,

　　"나리님이 정 그러시다면 가기는 가겠습니다. 그러나

쉬 후한이 있을 겝니다."

"후한이 있으면 어떻게 할 끼라."

"예, 가기는 가겠습니다. 뒤에 두고 봅시다."

그래 나가삐리거던. '야 그거 이상하구나. 후한이 있다
이 거 무슨 후한이 있으까.' 그래 삼 년만에 일을 다 마치
고 압록강 부두로 오자 우리나라로 돌아오기 되서 부두
를 나온께 그 부인이 앞에 딱. 사흘 저녁때 왔던 그 형세
대로 그 의복에 앞에 배를 타. '아하 인자 알았다. 저것이
우리 가정의 화근이다.'

그래 (우리나라로 돌아)왔다. 그라머 (가족들이) 반기
겄고 이래머 다 모두 머 희희낙낙하고 가족이 머 그때 인
자 거 자기가 젊을 땐데 그러구로 아들이 형제가 나거
던.(젊기 때문에 아들 형제를 낳았다)

연연생으로 금년 하나 나고 내년 하나 나고 아들이 형

제가 났는데. 한 얼굴이 비범하며 그러구로 언가이(어지간히) 가가지고(커가지고) 입학시가 되서 서당에 떡 가는데, 댕기는데 한 자 갈치주만 열 자나 알고 열 자 갈치주만 스무 서른 자를 알고 그러구로 차차 차차 커서 떡 북창 마음에 '하 저 놈들이 저기 내가 화근인데 떡 내가'고 생각만 하고 있을 즈음에 그 나이 한 큰 아들은 열 아홉 살 묵고 작은 아들은 열 여덟 살 묵었는데. 모도가(모두가) 우리 북창 친구들이 오더니 요새 우리 젊은 사람 문자로(말로) 친구들이 오더니,

"야 북창, 참 아들은 잘 됐네. 우째서 아들을 저렇기 교약(교육)을 시깄으꼬."

아무 말이 없지. 아들 말만 하만 입을 딱 봉하고 말 않고 그래 앉았는데 또 어떤 친구들은,

"야 아들, 자네 아들 장개 디리게(장가 들이게) 혼처가 오데 있고 오데가 있고 좋은 혼처가 있다. 참 구수(규수) 좋다."

그래도 (북창이) 아무 말도 안하고 그러구로, 한 날은 이 양반이(북창이) 어떻게 하는 기 아이라 고만 나가뿌렀지. 집에야 간다 온다 소리도 없고 어데 아랫동네서 웃동네 댕기오듯이 갔뿌렀다. 그래 고만 북창은 오두로 갔뿌린지 모르지.

아 그라고 나서는 고만 그 뒤부터 형제 딱 드러 눗지.(북창 두 아들이 병에 걸려 드러누움) 자 북창 동생이 그 조카를 그 참 금지옥엽같이 이래 생각하던 동생이 약을 여게가 짓고 저가 짓고 약을 광고를 해서 아주 참 어진 의원을 데리다 진찰을 씨긴다. 그래 그 약으로 거 해도 백약이 무효라.

그래 한 달 떡 가서 형제가 한 날 한 시에 딱 죽어삐린다. 그래 북창 동생의 마음에 '아하 이래 존(좋은) 아들 직이고 이 어떻게 하겠노? 죽나 사나' 이래하는 판국에 북창 동상도 '행님이 어데 가도 집에 언제 와도 오기는 올 터이니 형님 오만 수염을 지뜯던가 머 우짜든가 머 형님을 내가 전엔(온전히) 안두지' 이런 마음을 묵고.

북창부인도 역시 '이 냥반이 오만 내 사지를 뜯는다. 우리가 살아 멋하나. 이 양반이 어데 가서 이런 아들 직이고도 아무 소식도 없고 이러니 어떻게 해야 되겠노.' 그래 거 머 죽은 사람 갖다 묻어뿌릿다. 묻고 나닝께 그 이렛날(일곱째 날) 들어와 북창이. 집으로 돌아왔지. 그래 북창 동생이 인자 행(형)을 대해서,

"행님 여 보소, 아무개 아무개가 죽었소. 어떻게 해야 되겠소?"

거 아무런 말도 없지. 울머불머 그 부인이 가만 본께네 그 동생이 행을 차고 앉아서 이러한 책망을 하고 이얘길 할 즈음에 자기는 뒤로 미루고 있다. 인자 해가 질어니(기니) 그 해를 이 일을 어째야 되겠냐꼬 통곡을 하고 이래하고 있는데 저녁때가 된께 인자,

"야 동상 야 동상"

"뭣 할라요? 말해 봐."

"그래 내 저녁 일찍 묵고 오게."

"그래 저녁 묵고 오만 어짤 겐고?"

가지. 그 저녁 맛이 있나 말이라 저녁을 묵은치 만치하고(먹는 듯 마는 듯하고) 그래 저거 부인이 머라꼬 싸코 부인 말에는 도시 말이 없어. 입을 딱 봉해 놓고 그래 자기 동상한테,

"인자 오는가?"

"예."

"그런 기 아이라. 이 우리집 뒤 골에 가만(가면) 큰 들이 안있나? 그 들가에 자네 은신을 하고 몸을 숨기가지고 거기서 무슨 동정을 보게. 그 들 밖에 맞은 바래(밭에)

형제 딱 가따 묻어났어. 쌍둥이처럼. 아이 무슨 징조가
있을란고."

'형님 씨긴대로 가보자' 그래 등(들) 옆에 가만 앉아 은
신하고 본께네 저거 (죽은) 조카들이 나오더니 형이 먼저
나오더니,

"아무개야."

"와."

"예, 그놈 독한놈 북창 그 놈 무서라. 우리 복포수(복
수) 못한다. 그런 놈한테 오째 우리가 복포수(복수)를 하
느냐? 우리는 고국으로 돌아가자."

"네가 카니 말이지. 나도 그 생각 했다라. 그러나 우리
좀 더 지달라 보고 가자. 저놈 북창 저거 어찌 되는고?"

"아아 그런기 아이라 그 사람이 아이다. 그리 악독한

놈 짐승도 아이고 소도 아이고 말도 아이고 짐승겉은 놈, 가자 이만해도 됐다 고만."

"아이 그라자, 고만."

그래 형제 행하이(빨리) 빤하이 북창동상 베기에(보기에) 행하이 가뿌리. '하아 참 아는구나. 형님이 아는구나. 이렇기 딴 샘이 우리 형님이 그렇구나. 이놈들 죽는거 안 볼라꼬 .우리 형님이 알고서 안 볼라꼬 자게가(자기가) 피신 해가주 있다가 이놈 가따 묻어논 이렛날 오늘 오시는구나. 참 우리 형님이 안다.' 그래 집으로 돌아온다.

"동상 벌씨 오나?"

"예, 형님."

"와?"

"그 등(들) 옆에 앉았은께 그놈이 모랴 모랴 이놈들이 저거 형제 약세하고 약세하고 그런 얘기를 하고 고국으로 가자 칸께 갔습니다."

"아 그래 그런데 와 너거들은 날 가따가 이리 구박을 하느냐? 그 내기에 아무 관계없고 나랑 원수가 맺히가주 그런긴데. 그 내게 당치 않은 걸 그 내가 머 좋타 칼 수가 있나? 누는 어데 사는 사람은 어데사는 아무는 어데 혼처가 있다고 그래 결혼하라니 그놈 공부잘한다꼬 그놈들 치리쌌타미, 치리쌌는다미 하지만 내기는(나와는) 관계 없는데 내가 머 말할 턱이 없어. 그래 내가 그놈들 말만 하만 내가 입을 봉하고 안나오더나. 인자 우리 화근이 없다."

그란 후에 인자 그 머 북창 아들이 사내 나가지고 그래 인자 북창 이룩이 된 머 형육 삼자를 선언하고 북창이 그렇게 하더라 캐.

해설

이 이야기는 1980년 8월 4일. 경상남도 거창군 가조면에서 채록된 이야기로, 박대제 어르신이 들려준 이야기다. 한국구비문학대계 웹사이트(https://gubi.aks.ac.kr)에서 인용했다.

중국 요하에서 온 듯한 이국적인 미녀가 북창과 하룻밤을 보내려고 했으나 거듭 거부하기에 원한을 품게 되고 이를 복수하기 위해 중국에서부터 북창을 따라 우리나라로 오게 된다. 그렇게 와서는 북창의 아들들로 태어나 북창에게 품은 원한을 갚으려고 했다가 이미 이 사실을 알고 있는 북창으로 인해 그냥 돌아간다는 이야기다.

왜 북창과 하룻밤을 보내려고 했는지, 그것이 얼마나 큰 원한이기에 북창의 아들들로 태어나 복수를 하려고 했는지 자세히 알 수는 없다. 이 이야기의 핵심은 북창이 이미 모든 걸 알고 있다는 점이다. 전지전능에 가까운 신이한 능력을 보여주었다는 북창의 모습 가운데 하나다.

북창의 아들들로 태어난 중국 미녀가 그냥 쉽사리 물러가는 장면에서는 '피식' 웃음도 새어나온다. 아니 저렇게나 쉽게 물러난다고. 우리나라 아침 드라마보다도 못한 원한 갚기다. 아무 것도 모르는 북창의 아우와 아내는 충분히 납득이 가기도 하지만, 원한을 품은 중국 미녀는 가소롭기까지 하다.

이렇게 입에서 입으로 전해지는 옛날 이야기의 원천은 앞서 우리가 살펴본 각종 야담집에 실린 이야기들에서 시작하는 경우가 많다. 할아버지 할머니들이 책에서 읽은 이야기들을 잘 기억해뒀다가 방학을 맞아 찾아오는 아이들에게 이렇게 저렇게 각색을 해가며 더 재밌게 들려주시던 그런 경우다. 비록 논리적인 연관성은 떨어지나 재밌어 하고 신기해 하는 아이들을 보면 이야기하는 맛이 살아나기 마련이다. 추운 겨울 옛날 이야기 한 편 들려줄 아이들이 그리운 세상이니 참 세상도 많이 변했다.

15. 북창 세 아들의 정체

설화산(아산시 송악면에 있는 산)에 줄기에서 저짝으로는 맹고불 맹정승(청백 리로 유명한 고불(古佛) 맹사성(孟思誠) 있잖요. 그 분이 탄생하시고 이 쪽에는 외암(외암(巍巖) 이간(李柬)이 탄생하시고 그래구 인저 정북창이란 분이 탄생 하셨어요. 저 접짝에서는, 솔리 급짝에서는.

그런데 사람이 칭(북창을 부르는 호칭)이 굉장히 많대요. 인제 평인으루서는 한 가지지만. 인제 신선(神仙)이니, 군자(君子)니, 진인(眞人)이니 이런 식으루 일곱 층이래는구먼. 이 신선에서보담 더 올러가 진인이었대요, 정북창이. 그래서 전무후무(前無後無)라고 하는 이예요.

그 분이 그랬는데, 그 분이 인제 하루는, 막내 계수(季嫂)가 있는데 게 여러 형제였었던 모양이죠. 그랬는데 그 분이(막내 계수) 젤 뵈기 싫게 생겼는데 젤 구여워해요. 그 기수(계수)를 갖다가. 그러니까 딴 형제덜은 이상하게 생각하는 사람두 있구, 그렇지만.

"니들 몰라서 그렇다"말야.

게 정북창이가 젤 큰 형이었었던 모양이여. 그래가주구, 그랬었는데 그 분이 계속 그 망내 계수만 가주구 잘 보호하고 그랬었대는 게지. 그랬는데, 자기 아들이 삼 형제였거던, 정북창씨. 그랬는데, 아들은 구여워 하질 않았에요. 그 조카 아들은 구여워 해두.

그러니까 마누라가 시기가 났었다구. 그럴 수밲에 더 있어요. 그랬는데 하루는, 인제 큰 애는 열 두 살, 고담에 한 여덟 살, 여섯 살이 정도 됐었던 모양예요. 그랬는데 앓기 시작을 해더니, 하루 해더니 셋이 다 죽어버리네. 한꺼번에 그러니까 하루 사이루다가.

그래 인저 그 전에는 청(시체를 땅에 묻기 전에 놓아 두었던 나무로 얽어 만든 물건)인가 뭐를 맺잖아요. 그래 거기다 쌓아 놨는데, 그 어머니가 굉장히 슬퍼하니까 웃는 거예요, 정북창씨는. 그러니까 미쳤다 그 말여. 새끼 셋이나 잡어 먹구서두. (청취 불능) 웃는 게 뭐냐구 말야.

"울렁게 말구(문맥으로 보아 울고 화내지 말고의 의미임) 내가 하자는 대로 시범만 해보자" 말야.

그래가꾸 저녁에 아무두 몰래, 고요한 밤이지. 그러니까, 그런데 달두 없구.

"한 번 가자."

이거야. 그래 그 청 맨 데를 갔어요. 갔는데 삼형제가 슬슬 막 웃어. 웃으멘서 얘기를 하는 거야.

"하이고 놈에 새끼덜 웬수 잘 갚았다."

이거야. 응 삼 형제가 응.

"우리를 이렇게 원한을 사게 맨들었으니 저는 잘 될 게 뭐냐"구 말야.

그래 막 욕지거릴 했다 말야. 그래니까 아뭇 소리 안 하구 그 부인을 불른거요. 게 인제 멀찌감치 있었으니께. 슬그머니 왔다 이 말여.

"그래두 새끼 죽은 게, 저 뭐야, 원통하냐"구.

그러니께, 그제서는,

"웬일이냐?"

이거야. 그래니께 하는 소리가,

"내가 어려서지. 결혼하기 전에 큰 구렝이 하나가 있는데 다딜 도망을 가더라 이기야."

그래 자기가 칼루 세 도막을 냈다는 거예요. 그래니깐 인제 그 전에, 왜정 때 긴두구 그 전엔 장두(장도, 긴 칼)지. 그 놈 해서 세 토막을 냈는데, 그 세 토막이 원한이 돼가주구 삼 형제가 생겼대는 거야. 그래 가꾸서는 그 막내를 구여워한다는 것을 그 때서 알었대는 거여. 그런데 그 분이 진인이래요. 게 으른들은 다 아세요. 이상입니다.

해설

이 이야기는 1981년 충청남도 아산군 송악면(지금은 아산시 송악면)에서 채록된 이야기로, 이대선 어르신이 들려주신 이야기다. 한국구비문학대계 웹사이트(https://gubi.aks.ac.kr)에서 인용했다.

이야기가 채록된 곳이 북창 정렴의 본관인 충청남도 아산이다 보니 송악면이 배출한 인물들이 먼저 등장하여 이야기의 사실성을 높여주는 역할을 한다. 하지만 뒤를 잇는 이야기는 앞서 본 구렁이가 등장하는 이야기+아들로 태어나 원한 갚기와 다르지 않다.

북창이 세 토막을 낸 구렁이가 원한을 품고 북창의 세 아들로 태어나 북창을 원통하게 만들려고 했다가 실패했다는 이야기다. 이미 모든 것을 안 북창은 슬퍼하지 않았고 북창의 아내는 이를 몰랐다가 알게 된 후에야 슬퍼하지 않는 북창을 이해하게 되었다.

지금이야 흔히 볼 수 없는 것이 구렁이지만, 예전에는 시골집마다 한 마리씩은 있어서 집안을 지켜주는 수호신 정도로 여기기도 하여 함부로 죽이지 않았다고 한다. 보통 보게 되는 꽃뱀(유혈목이)과는 달리 굵직한 몸통에 긴 등치가 보는 이에게 경외감을 주었기 때문이기도 할 것이다. 구렁이와 자주 엮이는 북창을 봐도 흔했던 구렁이의 존재를 알 수 있다.

16. 북창이 까마귀와 제비 소리를 알다

그 그케 신통력이 아주 훌륭한 양반이 정북창이라구, (조사자: 예) 정북창이라구 아주 그 야담에두 나오능 기여. 정북창선생이 새 소리두 알어듣구 사람에 말은, 중국얼 그 사신을 따라갔는데, 인도 말이구 뭐 몽고 말이구 뭐 세계 각국 사람이 다 뫼여 왔는데 다 통역 안 세우구 다 얘기를 하더라능 기여.

아! 그래서 언제 그렇게 에 조선서 온 사신은 언제 그렇게 외국 말을 다 배웠냐구 그러닝깐, 그 뭐 사람이 사람에 말을 뭐 배우구 말구 할 게 뭐 있느냐구, 짐승에 말두 알아들을 수가 있는데 사람에 말을 못 알아 들을 게 뭐 익겠느냐구 그랬다능 기여.

그래 인제 그 분이 인제 에 자기 친구 한 사람이 인제 명 (命)이 짜릉 걸(짧은 걸) 질게 이릏게 살두룩 해 줬단 그런 얘기두 있어. 그게 대충 그 얘기와 비슷하군. 음. 얘기를 먼저 득구서 녹음을 듣능 것이 더 필요하겠구먼. 내 얘기 그 얘기를 인제 할 것이니. 에.

그 이조에는 그 동인이니 서인이니 머 노론 소론 그 당파가 있었잖아요? 당파가 있었는데, 그 정북창선생이라구 허는 이는 그 당파에 아무 관계두 읍구(없고), 그저 산중에 가서 그 냥반 십 년 동안에 선도 공불(신선이 되는 공부) 해 가지구 인제 나오는데, 나오다가시리 산에 내려오는데 까마구가 짓는데 '대육 대육' 그렇게 짓더래. 큰 대(大)자 괴기 육(肉)자, 큰 괴기가 있다구. 그 까마구가 그 숲을 내려다 보구.

'그것 참 이상하다. 무슨 괴기가 산에 있나.' 하구. 그래서 인제 그 숲속엘 들어가 봤더니, 들어가 보니깐, 어떤 사람이 사람을 찔러 죽여서 목에다 칼을 꽂구서는 죽어 자빠진 사람이 있어. 그러니깐 이 그 사람이 죽은 걸 보구서 까마구가 '대유육 대육' 하구 있단 말여.

그래 아이 그 안 됐다구, 이거 목이다 칼을 꽂구 있다니. 그래 인제 칼을 쓱 잡아 뽑았더니. 죽었드래두 칼이나 뽑구 죽어야지. 이거 칼을 목이다 얹구 이렇게 있으니깨는.

칼을 막 잡아 이제 뽁구 있는데 그 사람 죽은 집 가족덜이 그 사람이 어디 가 안 오구 허니게 인제 찾으러 인제 산으루 사방 돌아댕기다 거기를 오던 중이여어. (조사자: 아! 예)

그런 중이니까, 아 어떤 사람이 손이다 칼을 들었는데, 칼에 피가 묻구, 하이 저놈이 우리 웅 쥔을 죽였다구. 인제 모두 그 아들네랑 식구들이 와서, 이놈, 어째서 사람을 죽였느냐구, 이눔 붙잡구 이눔.

아 나는 앙 그랬다구. 이제 안 그랬기는 이눔, 관청으루 가자구. 그래 인제 관청으루 끌구 갔단 말여. 끌구 가서는 이눔이 사람을 죽였다구. 손에다 칼을 들구 이렇게 했다구 하닝께. 뭐, 이 사람이야 뭐, 자기 죄 없으니까, 태연한 마음에 뭐 하나두 부끄러움이 없어. 어려운 뭐 근심하는 빛 두 없이 허허 웃으면서,

"흐, 내가 그저 산중이서 십 년을 공부하구 나오다가시리, 까마구가 큰 괴기가 있다구 그러길래, 그래서 가 보니께 이케 목에 칼이 꽂혀 있어, 그래 내가 그걸 뽑아 줄라구 뽑다가시리, 내가 이분들한티 들켜서 그랬지, 내가 사람 죽일 사람이 아니라구. 내가 뭣때미 내 사람을 죽여. 내가 뭐 도적놈이냐 뭐냐. 우리에 동네 가서 다 조사를 해보더 래두 나는 산중이 가 공부한 사람이지 이렇게 나쁜 짓 하는 사람이 아니라구."

하 인제 그 군수가 가만히 생각해 보니, 이 짐승의 말을 알아 듣는다구 하니, 사실루 알아 듣나 볼라구, 인제 그때 는 봄철, 아마 삼사월쯤 됐던 모냥여. 지비(제비)가 인제 저 둥지를 틀어서 인제 새끼를 깠는데, 저것, 못 본 데, 그 사람 못 본 데 가서, 인제 제비 새끼를 인제. 예전에 그 관

장이 입는 그 도포라구 하는 소매에다 제비 새끼를 이렇게 넣구서는 이렇게 앉어서, 그러니깐 지비(제비]) 저기 와서 뭐라구 조잘 조잘 조잘 자꾸 인제 그라거든.

"저 지비가 지금 뭐라구 허는지 좀 알아 봐라. 너 짐승의 말을 알아 듣는다구 하니."

"예, 그 지비가 괴기두 먹을 거 욱구(없고) 가죽두 씰거(쓸 거) 읁는 내 자식 놔 주시오. 내 자식 놔 주시오 그랩니다." (웃음)

아, 참말루 알아 득거던. 그래,

"너 사실 그 너 짐승에 말을 사실 니가 아능 거 보니깐, 너 사람 죽일 사람 아니다. 너 가라."

이제 그랬다능 기여. 그래, 그만침 짐승에 말두 알구, 사람을 상대해 보면 저 사람은 몇 살 먹으면 죽을 사람이다, 살 사람이다. 그걸 다 잘알았다능 기여.

해설

이 이야기는 1980년 충청남도 대덕군 탄동면에서 채록된 이야기로, 정해수 어르신이 들려준 이야기다. 한국구비문학대계 웹사이트(https://gubi.aks.ac.kr)에서 인용했다.

산속에서 10년 수련을 마치고 내려오던 정렴이 우연히 까마귀가 하는 소리를 듣고 가봤더니 시체가 있었다. 시체의 목에 있는 칼을 뽑아주려던 찰나, 마침 시체가 된 사람을 찾아나섰던 그 가족들에게 목격되어 살인범으로 몰리게 된다.

관청까지 가서 여차저차 사정을 설명해봐야 믿지 않는다. 누가 짐승들의 언어를 알아듣는다는 말을 곧이곧대로 믿겠는가. 그래서 마침 제비 새끼 한 마리를 잡아서 숨겨 놓고 그를 시험하는 고을 수령. 꽤나 머리를 잘 쓰는 사람이었던 모양이다.

새끼 제비를 찾는 어미의 울음소리를 들으며 저 소리를 알아맞혀 보라는 수령에게 정확히 알려주는 정렴. 이것으로 정렴이 짐승들의 소리를 알아듣는다는 사실이 증명되었기 때문에 정렴은 무사히 풀려나게 되었다.

나름 기승전결의 줄거리를 깔끔하게 갖춘 재미난 이야기다. 음악에 탁월한 재능을 가져 휘파람으로는 조선 제일이라는 소리를 들을 정도로 음감이 뛰어났던 정렴. 그에게 높낮이가 있는 중국어를 익히는 것은 그리 어렵지 않아 보인다. 이런 사실에 기초해서 동물의 소리까지 익히 알았다는 방식으로 확장되는 그의 능력을 보여주는 일화다.

동물과의 교감은 우리들의 삶을 더 풍요롭게 해준다. 반려동물과 함께 살아가는 분들이 많은 것만 봐도 쉽게 알 수 있다. 비록 함께하는 반려동물들의 말은 알아들을 수 없지만, 그들의 따스한 감정은 우리들도 느낄 수 있다. 함께하는 세상에 어찌 동물이나 짐승이나 차아가 있으랴.

제3장

옛 선비들의 눈에 비친 북창

1. 북창선생은 일민(逸民)인가

공자가 공자 이전과 이후의 많은 세월을 살펴 일민(逸 民, 세상에 나가지 않고 자연에 묻혀 사는 사람)으로 거론한 자는 겨우 일곱 사람이니 얼마나 적은가. 백이와 숙제의 깨끗한 처신은 거의 성인의 영역에 들어갔고 나머지 사람들도 또한 확실히 청도(淸道, 벼슬에 연연하지 않고 자신의 몸을 깨끗하게 지킴)와 권도(權道, 상황에 알맞게 처신함)를 지켰기에 여기에 뽑혔을 것이니 이 얼마나 어려운 일인가.

이들 일곱 사람 이후로 한나라에는 엄준(嚴遵, 엄군평으로 점을 쳐주며 생계를 유지하고 노자를 읽으며 유유자적하게 산 은거인), 위나라에는 손등(孫登, 소문산에 은거하며 휘파람을 잘 불었다고 함), 당나라에는 손사막(孫思邈, 태백산에 은거하며 당태종이 불러도 나아가지 않았음)과 장지화(張志和, 벼슬을 버리고 은거) 등이 있었다. 이들이 비록 자신의 뜻을 굽히지 않는 자취를 남기고 세상 바깥에서 노닐었어도 여러 성인들이 보여준 흔적과 견줄 수는 없다. 그럼에도 세속을 벗어난 높은 경지는 세상 사람들이 비판하지 못한다. 게다가 미묘하고 현묘한 깨달음은 편협한 유학자나 세상에 아부하는 선비들이 엿볼 경지가 아니니, 바야흐로 이들은 일민(逸民)에 다음 간다 하겠다.

내가 근래 사람들을 살펴보니, 북창 정선생과 그의 아우 고옥 정작이 살아온 삶의 흔적은 옛 사람들과 다르지 않았다. 북창은 태어나면서부터 신령하고 뛰어나 널리 유불도 세 가르침을 통달하였다. 수련과 몸을 다스림은 도가와 유사하였고, 본성을 깨달음은 불가의 선(禪)과 같은 부류였으나, 인륜의 도리와 행위의 올바름은 한결같이 우리 유가에 근본을 두었다. 여러 재주와 솜씨들은 각각 심오하고 묘한 경지에 이르렀는데 모두 배우지 않고도 이루었다.

젊은 시절, 부친을 따라 중국으로 들어가며 압록강을 건너 중국인들을 보자 바로 중국어로 말했고 연경에 들어가서 외국 사신을 만나자 바로 외국어로 말했다. 산으로 들어가 여러 날 동안 섭심(攝心, 마음을 흩어지지 않게 다잡음)을 한 적이 있었는데 산 아래 백 리 사이의 일을 눈으로 본 듯 훤히 알았다고 하니 오, 또한 기이한 일이다.

불행하게도 집안의 변고에 엮여 세상사에 뜻을 잃고 어두운 집과 장막 아래서 고요히 좌선하기를 거의 10년이나 하였다. 나이 40여 세로 세상을 등졌다. 그를 아는 이들은 해화(解化, 육신을 벗고 신선이 됨)했다고 여겼다.

아, 선생이 태어나서 성인의 문하에 들어 성명(誠明)의 학문을 배우기에 온 힘을 다하였다면, 공자가 앞서 말한 이들과 어찌 차이가 있겠는가.

고옥은 북창 보다 27세 어린데 재주와 식견이 형님인 북창에게 꽤나 아득히 미치지는 못하나 기상이 맑고 평온하며 성품이 조졸하고 깨끗하여 도가 있는 부류였다. 시 짓기를 즐겨하고 초서와 예서에도 뛰어났다. 이외에도 약을 처방하는 것과 관상을 보는 것에도 뛰어나 많은 기이한 일을 만들었다. 집안의 변고에 엮여 자신과 세상이 서로 버리니 술에 의탁하며 세상을 피했다.

그러나 어릴 때는 형님과 수암 박지화를 따르며 금단비요(金丹秘要, 단을 수련하는 것)를 배워 통달했다. 중년에 처를 잃은 후에는 다시 장가가지 않았다. 36년 동안 금욕하며 살다가 생을 마쳤으니 사람들은 주선(酒仙, 술을 좋아하는 신선)이라 불렀다.

북창에게는 유고(遺稿, 생전에 남긴 원고)가 있었는데 이미 『삼현주옥(三賢珠玉)』이라 부르는 책에 들어가 있다. 고옥의 시는 임진왜란을 겪으며 잃어버려서 남은 것이 겨우 수백 편이다. 군위의 수령인 채형후(蔡亨後)는 고옥의 외손자인데 두 선생의 유고를 합쳐서 판각하면서 나에게 서문을 부탁했다.

내가 옛날의 기인(畸人, 은거한 사람)이나 일사(逸士, 세상을 등진 선비)라고 부르는 사람들은, 자신의 빛을 묻어두고 숨기며 세상에 알려지기를 바라지 않았던 사람들이다. 그러나 그들의 목소리가 후세에 들리게 되려면 그들이 남긴 말이 전해지지 않으면 안 된다.

엄준(엄군평)은 노자를 풀이한 책을 남겼고 손사막은 약방문을 모아 편찬했으며 손등은 소문산의 몇 마디 말이 전하며(손등의 휘파람 일화를 말하는 듯하다) 장지화는 서쪽 변방을 노래한 시가 전한다. 이 여러 군자들은 참으로 이런 기록들이 남겨지기를 바라지 않았지만, 이런 기록들이 없었다면 후대의 사람들이 어찌 그들이 남긴 글을 보겠는가.

북창은 시를 다듬지 않았고 많은 경우 붓을 믿고 직설적으로 감흥을 썼으며 자신의 뜻이 드러나면 그쳤다. 고옥은 꽤나 시를 다듬었는데 성조가 맑고 고원하여 그때에 당시풍(당나라에서 시를 짓는 방법, 회화성이 짙은 작품을 말한다)을 이뤘다는 평이 있었다. 두 선생이 모두 시를 세상에 남기고자 하지는 않았으나, 시가 두 선생에게서 나왔으므로 세상에 전하지 않을 수 없다.

북창의 휘(諱, 죽은 사람의 이름)는 렴(磏)이고 자는 사결(士潔)이다. 고옥의 휘는 작(碏)이고 자는 군경(君敬)이다. 두 선생의 선조는 온양 사람이라고 한다.

숭정 3년 경오년(1630) 동짓날 덕수(德水) 장유가 서문을 쓴다.

해설

이 글은 장유의 문집인 『계곡집』과 『북창고옥양선생
시집』의 서문에 실려 있다. 글의 원제목은 〈북창고옥양
선생시집서(北窓古玉兩先生詩集序)〉다.

장유는 조선시대 글짓기로는, 네 명의 대가에 손꼽힌
정도로 탁월한 문장가다. 그가 바라본 북창은 세상을 버
리고 은거하면서 몸가짐을 맑고 깨끗하게 유지한 일민
혹은 기인, 일사였다. 을사사화를 주도한 가문이기에 어
쩔 수 없이 세상을 등져야 했고 그 처신이 올바르다고 평
가했다.

권력과 부귀를 추구하지 않으면 오히려 이상하게 바라
보는 것은 장유가 살았던 시대나 지금이나 다르지 않다.
그만큼 손에서 놓기가 어렵기 때문일 것이다. 그렇기에
세속에 휩쓸리지 않고 스스로의 의지와 삶의 태도를 지
키기 위해 조용히 은거를 택한 사람들에게 존경을 보내

는 것이다.

정렴이 그 뛰어난 지능을 가지고 오로지 유학에 몰두했더라면, 그런 상황과 환경이 주어졌더라면, 어떻게 되었을까. 안타까워 하는 장유다. 허나 만일 북창이 그런 삶을 살았다면, 오늘날 우리는 조선 제일의 단학가인 그를 만나지 못했을 것이다.

때로 시련이 우리들에게 새로운 길을 열어주기도 한다. 중요한 건, 시대와 상황에 따른 변화에도 올곧게 자신을 지키는 일일 것이다. 야만에 타협하지 않고 자신을 지켜내는 일은 쉽지 않다. 그 누가 가난과 굶주림에 스스로를 두고자 하겠는가. 그래도 그 가난과 굶주림이 온전한 나를 지키게 한다면, 스스로를 다독이며 겸허하게 받아들임을 생각해봐도 좋을 것이다.

2. 진인 북창 선생 그리고 고옥 선생과의 인연

우리나라에 진인(眞人, 도를 깨달은 사람)이 없었는데, 북창만은 진인이라고 선배들은 말씀하셨다. 나는 북창 선생의 손자뻘로 선생이 선화(仙化, 신선이 됨, 죽음)한 지 30여 년 후에 태어났다. 어릴 때부터 이미 우리나라에 진인 정북창이 있다는 말은 들었지만, 어떤 사람을 진인이라 부르는지는 알지 못했다.

북창 선생의 어린 동생 고옥 선생은 나의 할아버지인 문정공(文靖公, 윤두수)과 동갑으로 두 분은 매우 친하게 지내셨다. 나는 북창 선생을 떠올리면 슬퍼지지만 고옥 선생을 떠올리면 즐겁게 된다.

정유재란(1597) 당시 수양산 아래로 피신했을 때, 피난 중인 고옥 선생을 만나 이웃으로 3년을 지냈다. 아침저녁으로 모시면서 시를 읊고 술을 대접했다. 이때 선생은 이미 연세가 많으셔서 학과 같은 모습에 은색 머리를 하고 계셨는데 여유로워 신선이 사람이 되신 듯했다. 가슴은 맑고 깨끗하여 도를 깨달은 사람처럼 보였기에 나도 모르게 탄복하며 공경했다. 선생이 말씀하셨다.

"자네는 나를 진인으로 여기는가? 나는 아직 촌동네 사람일세. 자네에게 우리 북창 형님을 보여줄 수 없으니 참으로 안타깝네."

이날 그동안 듣지 못했던 이야기들을 들었다. 북창 선생의 풍채와 모습이 신령하고 뛰어났으며 기이한 재주들을 갖추지 않음이 없었다. 이를 듣고 나는 북창 선생이 태어나면서부터 신이하였고 널리 삼교(유불도)에 통달하였음을 알았다. 신선도 될 수 있고 부처도 될 수 있고 성인도 될 수 있었으니 이를 일러 진인이라고 부르는 것이 아니겠는가.

지금 두 선생이 돌아가신 지도 이미 아득한데 고옥의 외손자인 채형후 군이 유고를 보여주길래, 책머리에 실린 북창의 행적과 야사의 기록을 읽어 보았다.

북창 선생은 작게는 이미 백 리 바깥의 일을 알았고 크게는 만리 바깥의 외국어까지 통달했으니 육통(六通, 여섯 가지 신통력)을 순식간에 깨달아 화후(火候)의 공(내단 수련)을 이루지 않았다면 어찌 이런 일이 가능했겠는가.

이와 같이 탁월한 식견을 가지고 끝내 신선이나 부처의 학문에 빠지지 않고 한결같이 우리 유학 성현들의 학문을 근본으로 삼으셨다. 그 유훈을 보면 전적으로 효도와 우애에 힘쓰도록 했고 『소학』과 『근사록』을 초학자들의 지름길로 여겼다. 따뜻한 가르침과 경계함이 이와 같았으니 옛부터 지금까지 탁월하고 뛰어났던 신선과 진인들에게서는 드물게 보이는 것이 아니겠는가.

북창의 시는 자연스럽게 마음을 드러낸 것으로 여동빈

(呂洞賓, 중국의 신선)의 세 번 악양에 간 시, 낮과 밤의 군산을 읊은 시와 같은 범주다. 고옥은 시의 음률에 노련하여 음운이 맑고 아득하였다. 당나라 명가들의 시와 흡사하기에 근래의 시인들은 마땅히 스스로 한 발씩 양보해야 한다.

그러나 이런 시는 그저 한가한 일일 뿐이다. 두 선생의 불후한 명성이 어찌 시를 가지고만 논하겠는가. 나같은 먼 후손이자 후학이 어찌 감히 선생들을 판단하겠는가. 그저 이름난 신선들의 글에 이런 글을 덧붙이는 것이 외람되고 부끄러움이라는 것을 잊고 도(道)의 즐거움으로 여길 뿐이다.

문중의 후손 해숭위(海崇尉, 해숭은 지금의 구미시. 위는 임금의 사위) 윤신지가 삼가 서를 쓴다.

해설

이 글은 윤신지(尹新之, 1582~1657)의 문집인 『현주집(玄洲集)』에 〈북창고옥집서(北窓古玉集序)〉라는 제목으로 실려 있다.

선조와 인빈김씨(仁嬪金氏)와의 소생인 정혜옹주(貞惠翁主)와 결혼하여 임금의 사위가 된 인물로, 사람됨이 총명하였다고 한다. 시를 짓는 것과 그림, 글씨 등에 두루 능했으며 조용히 살아가고자 했다.

윤신지는 소싯적부터 북창 정렴이 진인이라는 소리를 듣고 자라다가 정유재란을 맞이하여 피난처에서 고옥 정작과 인연을 맺게 되어 북창에 관한 여러 이야기들을 더욱 자세하게 듣게 된다. 그렇게 하여 무엇이든 통달할 수 있는 자를 진인이라고 생각하게 된 윤신지다. 북창과 고옥이 남긴 시도 중요하지민 그 보다는 그들이 걸어간 삶이 더욱 가치가 있고 값지다는 것을 말하며 끝을 맺는다.

그러나 끝내 윤신지도 북창이 남긴 유훈을 근거로 정렴을 유학자의 반열에서 논한다. 그런데 윤신지가 말한 유학자란 다름이 아니라, 실생활에서의 올바른 마음가짐, 몸가짐을 실천하며 살아가는 사람이다. 어른을 공경하고 스스로 만족하며 부귀를 탐하지 말라던 정렴의 유훈에 다름아니다.

사실 유학이라 부르든 유교라고 부르든, 오늘날의 우리는 이들 사상이 지닌 가치관에 기반하여 세상을 살아간다. 어른을 공경하고 부모님께 효도하고 형제간 우애 있게 지내며 친구 사이에서는 신의를 다하라는 가르침. 이것이 실생활에서 유학이 가르치는 것들이다.

세상 어느 종교가 선하지 않음을 가르치겠는가. 문제는 그 가르침에 편승해 교묘하게 이용하여 스스로의 부귀 공명을 꾀하려는 자들이다. 어른이란 명목으로, 시댁이란 명목으로 스스로의 이득을 챙김이 문제이지, 어른을 공경하라는 가치관이 그릇된 건 아니다.

3. 신이하고 완벽한 인간 북창 선생과 주선 고옥 정작

동명(東溟) 정두경(鄭斗卿, 1597~1673)군이 자신의 선조들 책인『북창고옥양선생시집』을 엮으며 나에게 서문을 구한 지 오래 되었다. 하지만 감히 쓸 수 없었던 것은 내 글솜씨가 서툴 뿐만 아니라 그의 기대를 채우기에 부족한데다 계곡 장유 공과 현주 윤신지 공 등이 이미 서문을 쓰셨기 때문이다. 비록 억지로 쓴다고 하더라도 여러 공들이 쓰신 글의 범위를 벗어나지 못하기에 사양했던 것인데 벌써 10여 년이 지났다. 서문을 구하는 두경 군의 바람이 더욱 간절해졌으니 내가 어찌 감회가 없겠는가.

북창 선생은 태어나면서 천지 자연의 기를 받고 태어

나 여러 기예를 배우지 않고도 능통했다. 신령한 땅에 태어나 먼지 이는 세상을 초월하였다. 깨달음은 불가의 높은 경지와 유사했으나 허무로 흐르지 않았다. 깊고 밝은 통찰력은 나면서부터 아는 경지에 가까웠으니 날마다 공을 쌓지 않고도 이루었다. 높고 아득한 정취를 지녔고 그윽하고 깊은 뜻을 훤히 살폈으며, 품격있고 아름다운 언행을 가졌으니 모두 유가 성현들의 경전과 가르침에서 근본했다.

내 신이하고 완벽한 사람이 있다 들었는데, 생각하지 않아도 이미 환하게 알고 애써 머리를 쓰지 않아도 이미 합당하며 정밀하게 살핌에 한계가 없다고 하더니, 선생과 같은 분이야말로 참으로 신이하고 완벽한 사람이시니, 어찌 옛날에 이른바 지인(至人, 도를 깨달은 사람. 덕이 완벽한 사람)이 아니겠는가.

시를 지음에 있어서도 또한 어찌 다듬느라 괴로워함이 있었겠는가. 감정을 드러내서 말로 나오면 그뿐, 스스로 형식에 얽매이지 않았으니 그 자유로운 운율에 여유가 있었다.

고옥은 북창의 동생으로 그 풍모와 정신이 평범하지 않았으며 시에 있어서도 형과 버금갔다. 나의 돌아가신 형님이신 효민공(孝敏公, 이경직)은 선생과 함께 노닐었다. 내가 어린 시절 선생의 풍모에 대해 익히 들었다. 선생은 평생 검소하였고 고요함을 지켰으며 홀로 30여 년을 지냈다. 신선들이 사는 산에서 육신을 단련하였으니 또한 본래 그런 바탕이 있었다.

만년에는 날마다 술을 마시며 아무 일도 하지 않았고 늘 반쯤 얼큰해지면 마음속에 담아둔 것을 드러내며 세속을 벗어난 고아한 이야기들로 안개를 드리운 듯하며 물외를 바라보았다. 가히 그 사람됨이 속세의 사람이 아님을 알겠다.

그 시 또한 그 사람과 비슷하여 맑고 시원하여 속되지 않았다. 지금 내가 두 선생의 시를 얻어 읽어봄이 참으로 다행이다. 게다가 두 선생의 시집에 서문으로 이름을 걸게 되었으니 이 또한 매우 다행이다. 아, 이 시들은 불타고 남은 재와 술을 거르고 난 지게미와 같으니 어찌 이것으로 두 선생을 제대로 보겠는가. 그러나 이를 잘 읽는 자들이라면 시를 읽으며 감상하면 반드시 세상에 드묾을 알고 느끼는 바가 있을 것이다.

갑오년(1654) 4월 백헌 이경석이 삼가 서문을 쓴다.

해설

이 글은 백헌 이경석(李景奭, 1595~1671)의 문집인 『백헌선생집(白軒先生集)』에 〈북창고옥양선생시집서 (北窓古玉兩先生詩集序)〉라는 제목으로 실려 있다.

이 글에서 북창은 도인, 진인과 동일하게 사용되는 지 인으로 표현되었다. 이미 북창이 세상을 떠난 지 100여 년이 흐른 뒤지만 그에 대한 세간의 평은 여전했다. 신이 하게 모든 것을 아는 사람인 정렴 북창. 지금도 여전히 우리에게 과연 그랬을까라는 호기심을 남기는 선인.

불현듯 북창이 남긴 시가 궁금하신 분들은, 현존하는 북창의 모든 시를 모아놓은 『인간의 길을 걸어 신선이 되 다 −북창의 생애와 글 그리고 용호비결』을 일독 하시길 권한다. 그곳에서 97수에 달하는 북창이 남긴 한시를, 그 의 마음을 고스란히 읽을 수 있다.

4. 북창의 신통은 참된 유학자의 모습

세상 사람들은 북창 선생이 순식간에 깨닫고 신통하기에 불가의 선(禪)을 깨달아 견성한 인물이라고 의심하나 그렇지 않다. 선생은 사물의 이치를 궁구하여 본성을 다 실천한 군자다. 성리(性理, 인간이 가진 본연의 이치)라 함은 어떤 도리이며, 이것을 다 실천한 사람은 어떤 사람인가.

맹자는 "본성을 알면 하늘을 안다"라고 하였다. 하늘조차도 알 수 있는데 어떤 일인들 알 수 없겠는가. 불가에서 말하는 신통(神通)은 별다른 도리가 아니라, 본성 안에서 벌어지는 일이다. 불가의 선(禪)도 참된 마음인 성(誠)을 보고 신통한데, 유가만 홀로 본성을 다하여 신통할 수 없겠는가. 모두 하나의 본성이니 불가의 선(禪)만 할 수 있고 유가는 할 수 없는 일은 없다.

옛날에 공자는 진시황이 사구(沙丘)에서 망할 것을 알고 계셨고 소강절(邵康節)은 병들어 누워있으면서도 유주(幽州)에서 반란이 일어날 것을 알고 있었으니, 이것이 성현의 신통함이다. 그러니 북창의 신통을 어찌 의심하는가. 정신적인 깨달음의 영역에서는 유학이나 불가의 선학(禪學)이나 서로 비슷한 곳이 매우 많으니 이것으로 의심해서는 안 된다.

아, 성리(性理)는 사람이 본래부터 가진 고유한 것이며 이를 궁리하고 다 실천함은 쉽게 논할 것이 아니며, 최상의 지혜를 가진 사람이 아니라면 불가하다. 지극하도다. 선생의 학문은 스스로 환하게 밝히고 정성을 다하여 거의 성인의 영역에 이르렀으니 사람들 가운데 누가 이를 알겠는가.

오호, 성대하도다. 지금은 선가(禪家)가 주인이 되고

유가(儒家)가 노비가 되었으며 외면으로는 유학자이나 내면은 불가를 따르는 자가 넘치고 넘치니 어쩔 수 없이 분별하여 논해야 한다. 이를 제대로 구분하지 못하는 자들은 말한다.

"북창이 과연 불가의 선학(禪學)이 아니라면 그가 무엇으로 그 자신을 지켰소이까?"

답한다.

"선생이 스스로 지은 가훈 그리고 선생의 행장(行狀, 고인의 평생을 기록한 글)과 유사(遺事, 고인이 남긴 여러 행적)에 남은 선생이 지녔던 마음의 흔적을 보면 순전히 참된 유학자이지 조금도 불교도인 중의 기운은 없으니 이것으로 알 수 있다. 뒤에 태어난 사람들이 선현들을 논하면서 사실을 기록한 실록과 유사를 버려두고 무엇으로 사실을 구하겠는가."

고옥 선생 역시 온화하고 담담한 군자였다. 일반인들

과 북창 선생의 거리가 천만 리라고 한다면, 고옥과 북창의 거리는 태어남의 선후와 도의 깊고 얕음이 모두 형제다. 아우가 형과 다툴 게 많지 않으니 이것으로 보자면 고옥의 도(道) 역시 지극하다.

이 시집에는 한때 이름을 날린 유학자들과 높은 벼슬에 올랐던 분들의 서문과 발문이 있어 이미 지극하기에 내가 더할 것이 없다. 그러나 두 선생의 도는 시에 있지 않다.

화산인(花山人, 경북 안동 사람), 청하자(靑霞子) 권극중이 삼가 쓴다.

해설

이 글은 청하자 권극중(權克中, 1585~1659)의 문집인 『청하집(靑霞集)』에 〈정북창문집서(鄭北窓文集序)〉라는 제목으로 실려 있다.

권극중은 도가에 관심이 많았던 사람이다. 위백양이 지은 『참동계』에 주석과 풀이를 붙여 『참동계주해』라는 책을 내기도 했다.

권극중이 바라본 북창은 신통한 사람이다. 그는 신통이 불가의 가르침만 해당되는 것이 아니라 유학의 가르침도 신통에 해당된다고 보았다. 성리라고 하는 것은 인간의 본성을 보는 것이니 당연히 신통에 해당된다는 말이다. 일견 그의 견해는 논리적으로 타당해 보인다. 인간의 본성을 탐구하여 신통에 이름은 불가의 선학이나 유가의 성리학이나 다를 바가 없기 때문이다.

북창이 남긴 유훈이나 행장과 행적에서 보이는 북창의 모습은 일반적인 유학자들의 모습과 다를 리 없다. 그 자신이 청리증이라는 병을 앓고 있었기에 의학에 관심을 두었고 도가의 단학수련을 겸했을 뿐이다. 몸에 든 병을 고치기 위해 산사에 머물다 보니 불가에도 관심을 가졌을 것이고 이런저런 공부도 했을 터였다.

다만 그가 이룬 것들이, 그가 스스로의 노력으로 일군 많은 것들이 일반인들이 보기에 과할 정도로 뛰어났기에 우리는 북창을 신이하게 바라보는 것이다. 의술로는 두 임금의 병을 의논하고 약을 어떻게 써야하는가를 놓고 의논하는 자리에 참여할 정도가 되었고 음악으로는 국립 국악원의 재원들을 가르칠 정도이며 외국어는 자유자재로 소통할 정도이니, 신기하고 놀라울 뿐이다. 게다가 단학으로도 조선 제일이라는 말을 들었으니 얼마나 놀라운가.

그럼에도 역시나 가장 중요한 건, 그가 남긴 삶의 궤적이 아닌가 싶다. 차마 불의에 동참하지 않고 스스로의 가치를 지킨 사람. 우리도 그를 닮아보면 어떨까?

5. 한 집안 세 신선의 신이함

　내 듣기로 삼신산(三神山, 신선이 산다는 봉래산, 방장산, 영주산)이 있다고 하는데, 전하기로는 발해라는 바다의 가운데 있으니 우리나라를 벗어나지 않는다. 그곳이 옥청제(玉淸帝, 도교의 신)가 사는 천상의 도읍과 통하기에 옛날부터 세상을 피하여 은거하고자 하는 뛰어난 신인들, 빛을 타고 오르는 자들이 모두 귀의하던 곳이라 한다. 부드러운 바람을 부리고 구름의 기운에 올라타서 무궁한 흐름에 몸과 마음을 맡기다가 때때로 다시 인연에 따라 변화에 응하여 잠시 인간세상으로 나와 자유로이 오고 가기도 하는데, 그들의 흔적이 늘 같은 것은 아니다.

어떤 이들은 외물을 보는 눈과 귀를 닫아 고요함으로 신(神)을 감싸고는 내면을 신중하게 지키고 외부의 것들에는 관심을 끊고 오직 적막함으로 현묘하고 또 현묘하기에 사람들은 이들의 경지를 엿볼 수 없다. 어떤 이는 마음의 변화에 따라 이치에 맞게 호응하여 많은 재주를 가지고 환술(幻術, 다채롭게 변화하는 술법)에 뛰어나기도 한다.

그들은 자신들의 가르침이 여러 책에 기록되어 보배처럼 여겨지거나 나라를 눈부시게 빛나게 하는 일들을 지금까지 즐겨하지 않았다. 저 거대한 시대의 흐름에 버려져서 시를 짓고 술을 마시는 것에 질탕하게 몰두하며 부귀에 연연하지 않고 가난과 천함에도 신경쓰지 않고 흙탕물에도 더러워지지 않는 깨끗한 자들이 있으니 아마도 이들이 그 다음가는 부류라고 하겠다.

신라와 고려시대 이래, 김가기(金可紀), 최치원(崔致遠), 영랑(永郎)과 술랑(述郎) 등의 탁월한 신선들의 이야기는 분명하게 책에 실린 글을 통해 확인할 수 있다.

이런 분들은 천년 동안 몇 사람뿐이라고 해도 오히려 많은 것이다. 그런데 하물며 한 세대를 함께 살아가는 사람들로 한 집안에 모두 모였으니 어찌 기이하지 않겠는가.

근래 온양 정씨에는 계헌(桂軒) 선생 정초(鄭礎)라는 분이 있다. 어려서 과거에 급제하여 명성을 날리며 화려한 관직을 두루 지내다가 많은 어려움을 만나게 될 것을 예견하더니 병으로 벼슬을 사양하고 출입을 삼갔다. 금단(金丹)의 비술(단학)을 수련하더니 넉넉히 중묘(衆妙)의 문(모든 현묘함이 있는 문, 도를 말한다)으로 들어갔다.

세상에 전하기로는, 하늘의 신선이 그 집으로 내려와 시를 주었는데 다음과 같았다고 한다. "계수나무 향기 아름답게 그득하더니, 하늘에서 신선이 내려왔다." 이런 이유로 계향(桂香, 계수나무 꽃향기)을 자신의 호로 삼았다. 이와 같은 일은 수준이 높은 선비들은 믿었지만, 뭇사람들은 의심했다.

그의 사촌 동생은 북창 선생 정렴이다. 많은 책을 두루 섭렵하고 어릴 때부터 불가의 선정(禪定, 참선)을 익혀 초연히 오묘함을 깨달았다. 외물을 외물로 부리고 자신은 외물에 의해 외물로 부림을 받지 않았으며 많은 기예들을 여가로 익히면서도 마음대로 노니는 경지에 이르렀다.

방안에 고요히 앉아 있어도 멀고 가까운 모든 움직임들이 북창의 눈을 벗어나 그 형체를 숨길 수 없었다. 중국에 들어갔을 때는 여러 나라의 사람들을 만나 그들의 언어를 귀에 닿자마자 바로 이해했다. 이를 듣고 사람들이 괴이하게 여기자 대답했다.

"말이라고 하는 것은 마음의 소리다. 그 모양을 보면 그 마음을 알 수 있으니, 그들의 말을 이해하지 못하겠는가."

그 외에도 종종 신령하고 기이한 일을 보여주었으니 손가락으로 다 꼽지 못한다.

고옥 선생 정작은 북창의 동생이다. 계향과 북창 두 선생에게 단을 수련하는 가르침을 듣고 마음을 매우 청정하게 지켜 일찍 처를 잃고도 다시 장가들지 않았다. 육신을 세상 바깥에 두고 어둠 속으로 달아났다. 그를 아는 사람들은 그에게 깨달음이 있음을 알았고 그를 모르는 사람들도 그의 신선과 같은 풍모는 알았다. 자신의 재주와 감정을 시로 드러냈는데, 늘 훨훨 노을로 날아올랐다.

도가의 내단술(단학 수련)이나 바람을 보고 길흉을 점치는 풍각(風角)의 방법에도 능했으니, 이 어찌 앞서 말한 세 신선이 한 집안에 모인 것이 아니겠는가. 고옥은 시에서 "솥에 회왕(淮王, 한나라 회남왕 유안. 신선이 되었다고 함)의 약이 있는데, 사람들은 허연(許椽, 진나라 사람으로 좋은 경치를 찾아다녔다고 함)의 집에 있다 말하네"라고 하였는데 이는 실제 고옥의 삶과 같았다.

근래 상서랑(尙書郞) 정두경(鄭斗卿)은 그 집안의 후손인데 하루는 소매에 한 문집을 가지고 와 나에게 전하며 말했다.

"고옥의 외손자인 채형후가 북창과 고옥 두 선생의 유

고를 가지고 계곡 장 선생(장유)께 서문을 받아 영남에서 목판에 새겨 간행하려고 합니다. 그대는 계헌공 정초(鄭礎)의 외가쪽 후손이시니 한마디 말씀하셔서 이 일에 힘을 보탤 뜻이 있으십니까."

내가 웃으며 말했다.

"자네는 내가 글을 잘 짓는다는 말을 들은 적이 있는가. 어찌 감히 내 이름을 그 끝에 걸 수 있겠는가. 그렇게 되면 그대의 수치가 될 걸세. 게다가 옥처럼 아름답고 향기로운 원고를 속된 속세의 말로 소개해야겠는가."

"그대의 글솜씨를 취하려는 게 아니오이다. 우리 집안 일을 알기로는 그대 같은 사람이 없으니 사양하지 마시지요. 계헌공이 비록 글을 짓는 것으로 일을 삼은 사람은 아니지만 그가 남긴 글들은 세상에서 귀하게 여기고 있습니다. 예전에 집안에서 보관하고 있었는데 전쟁으로 잃게 되어 북창과 고옥 두 선생의 원고와 함께 오래도록 전해질 수 없게 되었으니 참 개탄스럽습니다."

내가 말했다.

"선생의 도는 억지로 함도 없고 형체도 없으시네. 스스로 뿌리가 되고 스스로 근본이 되어 천지가 생기기 전에 있었더라도 오래되지 않음이고 천지가 생긴 후에 있었더라도 늦지 않음이네. 계헌의 글이 전해지지 못한다고 해서 없었던 것이라고 말하지 못하고 북창과 고옥 두 선생의 글이 전해진다고 해서 그분들의 뜻이 다 남았다고도 할 수 없네. 이 두 선생의 시집은 그저 겨와 쭉정이고 남은 찌꺼기일 뿐이네. 저, 정(精)을 요동치게 하고 신(神)을 고갈시켜서 꽉 막히고 시끄러우며, 마르고 볼품없는 말들을 스스로 불후의 명작으로 여기면서 자잘한 명예를 좇는 선비들은 조삼모사의 계책을 쓸 뿐이지 어찌 여기서 논하기에 족하겠는가."

정두경이 말했다.

"그대의 말이 옳다."

해설

이 글은 천파(天波) 오숙(吳翿, 1592~1634)의 문집인
『천파집(天波集)』에 〈북창고옥양선생시집서〉라는 제목
으로 실려 있다. 『북창고옥양선생시집』에는 책의 마지막
에 있는 발문(跋文, 책의 후기)으로 되어 있다.

북창 정렴이 단학에 입문하게 된 계기 가운데 하나로
꼽히는 것이 사촌형인 정초의 존재다. 정초가 단학 수련
에 관심이 있었던 인물이고 실제 수련을 통해 어느 정도
의 경지까지 오른 인물로 보여지기 때문이다. 이런 정초
의 영향 아래, 북창 정렴과 고옥 정작이 나오게 된 것이
다. 정초, 정렴, 정작을 일가삼선(一家三仙, 한 집안에 난
세 명의 신선)이라 부른다. 오숙은 이 일가삼선에 초점을
맞춰 글을 지었다.

참고문헌

구수훈, 『이순록(二旬錄)』, 정환국 외 편, 『정본 한국야담전집 2』(보고사, 2021).

권극중, 『청하집(靑霞集)』, 한국문집총간 속21집.

노명흠, 『동패낙송(東稗洛誦)』, 정환국 외 편, 『정본 한국야담전집 3』(보고사, 2021).

박양한, 『매옹한록(梅翁閑錄)』, 정환국 외 편, 『정본 한국야담전집 2』(보고사, 2021).

변원무·이양훈 공저, 『인간의 길을 걸어 신선이 되다 – 북창 정렴의 생애와 글 그리고 용호비결』(부크크, 2023).

서유영, 『금계필담(錦溪筆談)』, 동국대학교 한국문학연구소 편, 『한국문헌설화전집 8』(민족문화

사, 1981).

성수익 편,『삼현주옥(三賢珠玉)』, 서울대학교 규장각
한국학연구원 소장.

손찬식, 〈북창 정렴 전승 연구〉,『국어교육 Vol. 63』(한
국국어교육연구학회, 1988).

송기수,『추파집(楸坡集)』, 한국문집총간 32집.

신돈복,『학산한언(鶴山閑言)』, 정환국 외 편,『정본 한
국야담전집 3』(보고사, 2021).

오숙,『천파집(天坡集)』, 한국문집총간 95집.

유몽인 찬, 신익철 외 옮김,『어우야담』(돌베개, 2006).

윤신지,『현주집(玄洲集)』, 한국문집총간 101집.

이강옥 편역,『청구야담(靑邱野談) 상 권2』(문학동네,
2019).

이경석,『백헌집(白軒集)』, 한국문집총간 95~96집.

이원명 찬,『동야휘집(東野彙輯)』, 국립중앙도서관 소
장.

이희평 또는 이희준,『계서잡록(溪西雜錄)』, 정환국 외 편,『정본 한국야담전집 5』(보고사, 2021).

임방 저, 정환국 옮김,『천예록(天倪錄)』(보고사, 2023).

장유,『계곡집(谿谷集)』, 한국문집총간 92집.

정환국 외 편,『정본 한국 야담전집. 1-10』(보고사, 2021).

허목,『기언(記言)』, 국립중앙도서관 소장.

허목,『북창선생전』, 국립중앙도서관 소장.

홍나래,〈정렴 설화를 통해 본 예언자적 지식인의 앎과 초극 의지 -설화의 전승과 도덕적 문제의식의 확장에 관하여〉,『이화어문논집』제56집(이화여자대학교 한국어문학연구소, 2022).

황윤석,『이재난고(頤齋亂藁)』, 한국학중앙연구원 장서각 소장.

『북창고옥양선생시집(北窓古玉兩先生詩集)』, 국립중앙도서관 소장.

『청야담수(靑野談藪)』, 서울대학교 규장각한국학연구원 소장.

웹 사이트

디지털 장서각(jsg.aks.ac.kr)
서울대학교 규장각한국학연구원(kyu.snu.ac.kr)
한국고전종합DB(db.itkc.or.kr)
한국구비문학대계(gubi.aks.ac.kr)

찾아보기

ㄱ

ㄴ

ㄷ